DON JUAN TENORIO

EL PUÑAL DEL GODO

COLECCIÓN AUSTRAL

N.º 180

JOSÉ ZORRILLA

DON JUAN TENORIO
—
EL PUÑAL DEL GODO

NOVENA EDICIÓN

ESPASA-CALPE, S. A.
MADRID

Ediciones especialmente autorizadas por los herederos del autor para la

COLECCIÓN AUSTRAL

Primera edición: 30 - XI - *1940*
Segunda edición: 21 - X - *1943*
Tercera edición 15 - III - *1946*
Cuarta edición: 24 - V - *1951*
Quinta edición: 28 - VIII - *1956*
Sexta edición: 28 - V - *1965*
Séptima edición: 14 - I - *1967*
Octava edición: 22 - I - *1970*
Novena edición: 16 - I - *1974*

—

Depósito legal: M. 827—1974

ISBN 84—239—0180—7

Impreso en España
Printed in Spain

Acabado de imprimir el día 16 de enero de 1974

Talleres tipográficos de la Editorial Espasa-Calpe, S. A.
Carretera de Irún, km. 12,200. Madrid-34

ÍNDICE

DON JUAN TENORIO

EL PUÑAL DEL GODO

DON JUAN TENORIO

PERSONAJES

Don Juan Tenorio.

Don Luis Mejía.

Don Gonzalo de Ulloa, *comendador de Calatrava*.

Don Diego Tenorio.

Doña Inés de Ulloa.

Doña Ana de Pantoja.

Christófano Buttarelli.

Marco Ciutti.

Brígida.

Pascual.

El capitán Centellas.

Don Rafael de Avellaneda.

Lucía.

La abadesa de las Calatravas de Sevilla.

La tornera de ídem.

Gastón.

Miguel.

Un escultor.

Alguaciles 1.° y 2.°

Un paje *(que no habla)*.

La estatua de don Gonzalo *(él mismo)*.

La sombra de doña Inés *(ella misma)*.

Caballeros sevillanos, encubiertos, curiosos, esqueletos, estatuas, ángeles, sombras, justicia y pueblo

———

La acción en Sevilla, por los años de 1545, últimos del emperador Carlos V. Los cuatro primeros actos pasan en una sola noche. Los tres restantes, cinco años después y en otra noche

PRIMERA PARTE

ACTO PRIMERO

Libertinaje y escándalo

Personajes: DON JUAN, DON LUIS, DON DIEGO, DON GONZALO, BUTTARELLI, CIUTTI, CENTELLAS, AVELLANEDA, GASTÓN, MIGUEL

Caballeros, curiosos, enmascarados, rondas

Hostería de Christófano Buttarelli. Puerta en el fondo que da a la calle; mesas, jarros y demás utensilios propios de semejante lugar

ESCENA I

DON JUAN, *con antifaz, sentado a una mesa escribiendo; CIUTTI y BUTTARELLI a un lado esperando. Al levantarse el telón se ven pasar por la puerta del fondo máscaras, estudiantes y pueblo con hachones, músicas, etc.*

D. JUAN.	¡Cuál gritan esos malditos!
	¡Pero mal rayo me parta
	si, en concluyendo la carta,
	no pagan caros sus gritos!
	(Sigue escribiendo.)
BUTTARELLI.	*(A Ciutti.)*
	¡Buen Carnaval!
CIUTTI.	*(A Buttarelli.)* Buen agosto
	para rellenar la arquilla.

BUTTARELLI.	¡Quia! Corre ahora por Sevilla
	poco gusto y mucho mosto.
	Ni caen aquí buenos peces,
	que son cosas mal miradas
	por gentes acomodadas,
	y atropelladas a veces.
CIUTTI.	Pero hoy...
BUTTARELLI.	Hoy no entra en la cuenta,
	Ciutti; se ha hecho buen trabajo.
CIUTTI.	¡Chist! Habla un poco más bajo,
	que mi señor se impacienta
	pronto.
BUTTARELLI.	¿A su servicio estás?
CIUTTI.	Ya ha un año.
BUTTARELLI.	¿Y qué tal te sale?
CIUTTI.	No hay prior que se me iguale;
	tengo cuanto quiero y más.
	Tiempo libre, bolsa llena,
	buenas mozas y buen vino.
BUTTARELLI.	¡Cuerpo de tal, qué destino!
CIUTTI.	*(Señalando a don Juan.)*
	Y todo ello a costa ajena.
BUTTARELLI.	¿Rico, eh?
CIUTTI.	Varea la plata.
BUTTARELLI.	¿Franco?
CIUTTI.	Como un estudiante.
BUTTARELLI.	¿Y noble?
CIUTTI.	Como un infante.
BUTTARELLI.	¿Y bravo?
CIUTTI.	Como un pirata.
BUTTARELLI.	¿Español?
CIUTTI.	Creo que sí.
BUTTARELLI.	¿Su nombre?
CIUTTI.	Lo ignoro en suma.
BUTTARELLI.	¡Bribón! ¿Y dónde va?
CIUTTI.	Aquí.
BUTTARELLI.	Largo plumea.
CIUTTI.	Es gran pluma.

BUTTARELLI.	¿Y a quién mil diablos escribe
	tan cuidadoso y prolijo?
CIUTTI.	A su padre.
BUTTARELLI.	¡Vaya un hijo!
CIUTTI.	Para el tiempo en que se vive
	es un hombre extraordinario;
	pero... calla.
D. JUAN.	*(Cerrando la carta.)*
	Firmo y plego;
	¡Ciutti!
CIUTTI.	Señor.
D. JUAN.	Este pliego
	irá, dentro del Horario
	en que reza doña Inés,
	a sus manos a parar.
CIUTTI.	¿Hay respuesta que aguardar?
D. JUAN.	Del diablo con guardapiés
	que la asiste; de su dueña,
	que mis intenciones sabe,
	recogerás una llave,
	una hora y una seña,
	y más ligero que el viento,
	aquí otra vez.
CIUTTI.	Bien está. *(Vase.)*

ESCENA II

DON JUAN y BUTTARELLI

D. JUAN.	Christófano, vieni quá.
BUTTARELLI.	Eccellenza!
D. JUAN.	Senti.
BUTTARELLI.	Sento.
	Ma ho imparatto il castigliano,
	se é piú facile al signor
	la sua lingua...
D. JUAN.	Sí, es mejor;
	lascia dunque il tuo toscano,

y dime: ¿don Luis Mejía
ha venido hoy?

BUTTARELLI.   Excelencia,
no está en Sevilla.

D. JUAN.   ¿Su ausencia
dura en verdad todavía?

BUTTARELLI.   Tal creo.

D. JUAN.   ¿Y noticia alguna
no tenéis de él?

BUTTARELLI.   ¡Ah! Una historia
me viene ahora a la memoria
que os podrá dar...

D. JUAN.   ¿Oportuna
luz sobre el caso?

BUTTARELLI.   Tal vez.

D. JUAN.   Habla, pues.

BUTTARELLI.   *(Hablando consigo mismo.)*
                        No, no me engaño;
esta noche cumple el año;
lo había olvidado.

D. JUAN.   ¡Pardiez!
¿Acabarás con tu cuento?

BUTTARELLI.   Perdonad, señor; estaba
recordando el hecho.

D. JUAN.   Acaba,
vive Dios, que me impaciento.

BUTTARELLI   Pues es el caso, señor,
que el caballero Mejía,
por quien preguntáis, dio un día
en la ocurrencia peor
que ocurrírsele podía.

D. JUAN.   Suprime lo al hecho extraño;
que apostaron me es notorio
a quién haría en un año,
con más fortuna, más daño,
Luis Mejía y Juan Tenorio.

BUTTARELLI.   ¿La historia sabéis?

D. JUAN.   Entera:

	por eso te he preguntado por Mejía.
BUTTARELLI.	¡Oh! Me pluguiera que la apuesta se cumpliera, que pagan bien y al contado.
D. JUAN.	¿Y no tienes confianza en que don Luis a esta cita acuda?
BUTTARELLI.	¡Quia!, ni esperanza; el fin del plazo se avanza, y estoy cierto que maldita la memoria que ninguno guarda de ello.
D. JUAN.	Basta ya. Toma.
BUTTARELLI.	Excelencia, ¿y de alguno de éstos sabéis vos?
D. JUAN.	Quizá.
BUTTARELLI.	¿Vendrán, pues?
D. JUAN.	Al menos uno; mas por si acaso los dos dirigen aquí sus huellas el uno del otro en pos, tus dos mejores botellas prevenles.
BUTTARELLI.	Mas...
D. JUAN.	¡Chito!... Adiós

ESCENA III

BUTTARELLI

BUTTARELLI.	¡Santa Madona! De vuelta Mejía y Tenorio están sin duda... y recogerán los dos la palabra suelta. ¡Oh! Sí; ese hombre tiene traza de saberlo a fondo. *(Ruido dentro.)* Pero

¿qué es esto? *(Se asoma a la puerta.)*
                    ¡Anda! ¡El forastero
está riñendo en la plaza!
¡Válgame Dios! ¡Qué bullicio!
¡Cómo se le arremolina
chusma..., y cómo la acoquina
él solo!... ¡Puf! ¡Qué estropicio!
¡Cuál corren delante de él!
¡No hay duda, están en Castilla
los dos, y anda ya Sevilla
toda revuelta! ¡Miguel!

ESCENA IV

BUTTARELLI y MIGUEL

MIGUEL.   Che comanda?
BUTTARELLI.   Presto, qui
servi una tabola, amico;
e del Lacryma piú antico
porta due buttiglie.
MIGUEL.   Sí,
signor padron.
BUTTARELLI.   Micheletto,
apparechia in caritá
lo piú ricco, que si fa;
afrettati!
MIGUEL.   Già mi afretto,
signor padrone. *(Vase.)*

ESCENA V

BUTTARELLI y DON GONZALO

D. GONZALO.   Aquí es.
                ¡Patrón!
BUTTARELLI.   ¿Qué se ofrece?

D. GONZALO.   Quiero
hablar con el hostelero.
BUTTARELLI.   Con él habláis; decid, pues.
D. GONZALO.   ¿Sois vos?
BUTTARELLI.   Sí; mas despachad,
que estoy de priesa.
D. GONZALO.   En tal caso,
ved si es cabal y de paso
esa dobla, y contestad.
BUTTARELLI.   ¡Oh, excelencia!
D. GONZALO.   ¿Conocéis
a don Juan Tenorio?
BUTTARELLI.   Sí.
D. GONZALO.   ¿Y es cierto que tiene aquí
hoy una cita?
BUTTARELLI.   ¡Oh! ¿Seréis
vos el otro?
D. GONZALO.   ¿Quién?
BUTTARELLI.   Don Luis.
D. GONZALO.   No; pero estar me interesa
en su entrevista.
BUTTARELLI.   Esta mesa
les preparo; si os servís
en esotra colocaros,
podréis presenciar la cena
que les daré... ¡Oh! Será escena
que espero que ha de admiraros.
D. GONZALO.   Lo creo.
BUTTARELLI.   Son, sin disputa,
los dos mozos más gentiles
de España.
D. GONZALO.   Sí, y los más viles
también.
BUTTARELLI.   ¡Bah! Se les imputa
cuanto malo se hace hoy día;
mas la malicia lo inventa,
pues nadie paga su cuenta
como Tenorio y Mejía.
D. GONZALO.   ¡Ya!

BUTTARELLI.   Es afán de murmurar;
porque conmigo, señor,
ninguno lo hace mejor,
y bien lo puedo jurar.

D. GONZALO.   No es necesario; mas...

BUTTARELLI.   ¿Qué?

D. GONZALO.   Quisiera yo ocultamente
verlos, y sin que la gente
me reconociera.

BUTTARELLI.   A fe
que eso es muy fácil, señor.
Las fiestas de Carnaval,
al hombre más principal
permiten, sin deshonor
de su linaje, servirse
de un antifaz, y bajo él
¿quién sabe, hasta descubrirse,
de qué carne es el pastel?

D. GONZALO.   Mejor fuera en aposento
contiguo...

BUTTARELLI.   Ninguno cae
aquí.

D. GONZALO.   Pues entonces trae
un antifaz.

BUTTARELLI.   Al momento.

ESCENA VI

DON GONZALO

D. GONZALO.   No cabe en mi corazón
que tal hombre pueda haber,
y no quiero cometer
con él una sinrazón.
Yo mismo indagar prefiero
la verdad...; mas, a ser cierta
la apuesta, primero muerta
que esposa suya la quiero.

No hay en la tierra interés
que si la daña me cuadre;
primero seré buen padre,
buen caballero después.
Enlace es de gran ventaja;
mas no quiero que Tenorio
del velo del desposorio
le recorte una mortaja.

ESCENA VII

Don Gonzalo y Buttarelli, *que trae un antifaz*

BUTTARELLI.   Ya está aquí.
D. GONZALO.   Gracias, patrón;
¿tardarán mucho en llegar?
BUTTARELLI.   Si vienen, no han de tardar;
cerca de las ocho son.
D. GONZALO.   ¿Ésa es la hora señalada?
BUTTARELLI.   Cierra el plazo, y es asunto
de perder quien no esté a punto
de la primer campanada.
D. GONZALO.   Quiera Dios que sea chanza,
y no lo que se murmura.
BUTTARELLI.   No tengo aún por muy segura
de que cumplan la esperanza;
pero si tanto os importa
lo que ello sea saber,
pues la hora está al caer,
la dilación es ya corta.
D. GONZALO.   Cúbrome, pues, y me siento.
(Se sienta en una mesa a la derecha,
y se pone el antifaz)
BUTTARELLI.   *(Aparte.)*
Curioso el viejo me tiene
del misterio con que viene...,
y no me quedo contento
hasta saber quién es él.
(Limpia y trajina, mirándole de reojo.)

D. GONZALO.   *(Aparte.)*
               ¡Que un hombre como yo tenga
               que esperar aquí y se avenga
               con semejante papel!
               En fin, me importa el sosiego
               de mi casa, y la ventura
               de una hija sencilla y pura,
               y no es para echarlo a juego.

ESCENA VIII

DON GONZALO, BUTTARELLI *y* DON DIEGO *a la puerta
del fondo*

D. DIEGO.   La seña está terminante;
               aquí es; bien me han informado;
               llego, pues.
BUTTARELLI.   ¿Otro embozado?
D. DIEGO.   ¡Ah de esta casa!
BUTTARELLI.   Adelante.
D. DIEGO.   ¿La Hostería del Laurel?
BUTTARELLI.   En ella estáis, caballero.
D. DIEGO.   ¿Está en casa el hostelero?
BUTTARELLI.   Estáis hablando con él.
D. DIEGO.   ¿Sois vos Buttarelli?
BUTTARELLI.   Yo.
D. DIEGO.   ¿Es verdad que hoy tiene aquí
               Tenorio una cita?
BUTTARELLI.   Sí.
D. DIEGO.   ¿Y ha acudido a ella?
BUTTARELLI.   No.
D. DIEGO.   ¿Pero acudirá?
BUTTARELLI.   No sé.
D. DIEGO.   ¿Le esperáis vos?
BUTTARELLI.   Por si acaso,
               venir le place.
D. DIEGO.   En tal caso,
               yo también le esperaré.
               (Se sienta al lado opuesto a don Gonzalo.)

BUTTARELLI.   ¿Que os sirva vianda alguna
              queréis mientras?
D. DIEGO.   No; tomad.
BUTTARELLI.   ¡Excelencia!·
D. DIEGO.   Y excusad
              conversación importuna.
BUTTARELLI.   Perdonad.
D. DIEGO.   Vais perdonado;
              dejadme, pues.
BUTTARELLI.   *(Aparte.)*   ¡Jesucristo!
              En toda mi vida he visto
              hombre más malhumorado.
D. DIEGO.   *(Aparte.)*
              ¡Que un hombre de mi linaje
              descienda a tan ruin mansión!
              Pero no hay humillación
              a que un padre no se baje
              por un hijo. Quiero ver
              por mis ojos la verdad,
              y el monstruo de liviandad
              a quien pude dar el ser
              *(Buttarelli, que anda arreglando sus
              trastos, contempla desde el fondo a don
              Gonzalo y a don Diego, que permanece-
              rán embozados y en silencio)*
BUTTARELLI.   ¡Vaya un par de hombres de piedra!
              Para éstos sobra mi abasto;
              mas, ¡pardiez!, pagan el gasto
              que no hacen, y así se medra.

ESCENA IX

DON GONZALO, DON DIEGO, BUTTARELLI, EL CAPITÁN
CENTELLAS, AVELLANEDA y DOS CABALLEROS

AVELLANEDA.   Vinieron, y os aseguro
              que se efectuará la apuesta.
CENTELLAS.   Entremos, pues. ¡Buttarelli!

BUTTARELLI.   Señor capitán Centellas,
              ¿vos por aquí?
CENTELLAS.   Sí, Christófano.
              ¿Cuándo aquí, sin mi presencia,
              tuvieron lugar orgías
              que han hecho raya en la época?
BUTTARELLI.   Como ha tanto tiempo ya
              que no os he visto...
CENTELLAS.   Las guerras
              del emperador, a Túnez
              me llevaron; mas mi hacienda
              me vuelve a traer a Sevilla,
              y según lo que me cuentan,
              llego lo más a propósito
              para renovar añejas
              amistades. Conque apróntanos
              luego unas cuantas botellas,
              y en tanto que humedecemos
              la garganta, verdadera
              relación haznos de un lance
              sobre el cual hay controversia.
BUTTARELLI.   Todo se andará; mas antes
              dejadme ir a la bodega.
VARIOS.   Sí, sí.

ESCENA X

DICHOS, *menos* BUTTARELLI

CENTELLAS.   Sentarse, señores,
              y que siga Avellaneda
              con la historia de don Luis.
AVELLANEDA.   No hay ya más que decir de ella
              sino que creo imposible
              que la de Tenorio sea
              más endiablada, y que apuesto
              por don Luis.
CENTELLAS.   Acaso pierdas.

Don Juan Tenorio se sabe
que es la más mala cabeza
del orbe, y no hubo hombre alguno
que aventajarle pudiera
con sólo su inclinación;
conque ¿qué hará si se empeña?

AVELLANEDA. Pues yo sé bien que Mejía
las ha hecho tales, que a ciegas
se puede apostar por él.

CENTELLAS. Pues el capitán Centellas
pone por don Juan Tenorio
cuanto tiene.

AVELLANEDA.   Pues se acepta
por don Luis, que es muy mi amigo.

CENTELLAS. Pues todo en contra se arriesga;
porque no hay como Tenorio
otro hombre sobre la tierra,
y es proverbial su fortuna
y extremadas sus empresas.

ESCENA XI

DICHOS y BUTTARELLI, *con botellas*

BUTTARELLI. Aquí hay Falerno, Borgoña,
Sorrento.

CENTELLAS.   De lo que quieras
sirve, Christófano, y dinos:
¿qué hay de cierto en una apuesta
por don Juan Tenorio ha un año
y don Luis Mejía hecha?

BUTTARELLI. Señor capitán, no sé
tan a fondo la materia
que os pueda sacar de dudas,
pero os diré lo que sepa.

VARIOS. Habla, habla.

BUTTARELLI.   Yo, la verdad,
aunque fue en mi casa mesma

la cuestión entre ambos, como
pusieron tan larga fecha
a su plazo, creí siempre
que nunca a efecto viniera.
Así es que ni aun me acordaba
de tal cosa a la hora de ésta.
Mas esta tarde, sería
al anochecer apenas,
entróse aquí un caballero
pidiéndome que le diera
recado con que escribir
una carta; y a sus letras
atento no más, me dio
tiempo a que charla metiera
con un paje que traía,
paisano mío, de Génova.
No saqué nada del paje,
que es, por Dios, muy brava pesca;
mas cuando su amo acababa
la carta, le envió con ella
a quien iba dirigida;
el caballero en mi lengua
me habló, y me dio noticias
de don Luis; dijo que entera
sabía de ambos la historia,
y tenía la certeza
de que, al menos uno de ellos,
acudiría a la apuesta.
Yo quise saber más de él;
mas púsome dos monedas
de oro en la mano, diciéndome:
«Y por si acaso los dos
al tiempo aplazado llegan,
ten prevenidas para ambos
tus dos mejores botellas.»
Largóse sin decir más;
y yo, atento a sus monedas,
les puse en el mismo sitio
donde apostaron, la mesa.

           Y vedla allí con dos sillas,
           dos copas y dos botellas.

AVELLANEDA. Pues, señor, no hay que dudar;
           era don Luis.

CENTELLAS.   Don Juan era.

AVELLANEDA. ¿Tú no le viste la cara?

BUTTARELLI. ¡Si la traía cubierta
           con un antifaz!

CENTELLAS.   Pero, hombre,
           ¿tú a los dos no los recuerdas?
           ¿O no sabes distinguir
           a las gentes por sus señas
           lo mismo que por sus caras?

BUTTARELLI. Pues confieso mi torpeza;
           no lo supe conocer,
           y lo procuré de veras.
           Pero silencio.

AVELLANEDA.   ¿Qué pasa?

BUTTARELLI. A dar el reló comienza
           los cuartos para las ocho. *(Dan.)*

CENTELLAS. Ved la gente que se entra.

AVELLANEDA. Como que está de este lance
           curiosa Sevilla entera.
           (Se oyen dar las ocho; varias personas
           entran y se reparten en silencio por la
           escena; al dar la última campanada, don
           Juan, con antifaz, se llega a la mesa que
           ha preparado Buttarelli en el centro del
           escenario y se dispone a ocupar una de
           las dos sillas que están delante de ella.
           Inmediatamente después de él entra don
           Luis, también con antifaz, y se dirige
           a la otra. Todos los miran)

ESCENA XII

DON DIEGO, DON GONZALO, DON JUAN, DON LUIS, BUTTA-
RELLI, CENTELLAS, AVELLANEDA, CABALLEROS, CURIOSOS
y ENMASCARADOS

AVELLANEDA.   *(A Centellas, por don Juan.)*
              Verás aquél, si ellos vienen,
              qué buen chasco que se lleva.
CENTELLAS.   *(A Avellaneda, por don Luis.)*
              Pues allí va otro a ocupar
              la otra silla; ¡uf!, aquí es ella.
D. JUAN.   *(A don Luis.)*
              Esa silla está comprada,
              hidalgo.
D. LUIS.   *(A don Juan.)*
                        Lo mismo digo,
              hidalgo; para un amigo.
              tengo yo esotra pagada.
D. JUAN.   Que ésta es mía haré notorio.
D. LUIS.   Y yo también que ésta es mía.
D. JUAN.   Luego sois don Luis Mejía.
D. LUIS.   Seréis, pues, don Juan **Tenorio**.
D. JUAN.   Puede ser.
D. LUIS.   Vos lo decís.
D. JUAN.   ¿No os fiáis?
D. LUIS.   No.
D. JUAN.   Yo tampoco.
D. LUIS.   Pues no hagamos más el coco.
D. JUAN.   Yo soy don Juan.
                          (Quitándose la máscara.)
D. LUIS.   *(Idem.)*   Yo don Luis.
              *(Se descubren y se sientan. El capitán
              Centellas, Avellaneda, Buttarelli y algu-
              nos otros se van a ellos y les saludan,
              abrazan y dan la mano, y hacen otras se-
              mejantes muestras de cariño y amistad.
              Don Juan y don Luis las aceptan cor-
                          tésmente)*

CENTELLAS.   ¡Don Juan!
AVELLANEDA.   ¡Don Luis!
D. JUAN.   ¡Caballeros!
D. LUIS.   ¡Oh amigos! ¿Qué dicha es ésta?
AVELLANEDA.   Sabíamos vuestra apuesta,
               y hemos acudido a veros.
D. LUIS.   Don Juan y yo tal bondad
               en mucho os agradecemos.
D. JUAN.   El tiempo no malgastemos,
               don Luis. *(A los otros.)* Sillas arrimad.
               (A los que están lejos.)
               Caballeros, yo supongo
               que a ucedes también aquí
               les trae la apuesta, y por mí,
               a antojo tal no me opongo.
D. LUIS.   Ni yo, que aunque nada más
               fue el empeño entre los dos,
               no ha de decirse, por Dios,
               que me avergonzó jamás.
D. JUAN.   Ni a mí, que el orbe es testigo
               de que hipócrita no soy,
               pues por doquiera que voy
               va el escándalo conmigo.
D. LUIS.   ¡Eh! ¿Y esos dos no se llegan
               a escuchar? Vos.
               (Por don Diego y don Gonzalo.)
D. DIEGO.   Yo estoy bien.
D. LUIS.   ¿Y vos?
D. GONZALO.   De aquí oigo también.
D. LUIS.   Razón tendrán si se niegan.
               *(Se sientan todos alrededor de la mesa
               en que están don Luis Mejía y don Juan
                         Tenorio)*
D. JUAN.   ¿Estamos listos?
D. LUIS.   Estamos.
D. JUAN.   Como quien somos cumplimos.
D. LUIS.   Veamos, pues, lo que hicimos.
D. JUAN.   Bebamos antes.
D. LUIS.   Bebamos. *(Lo hacen.)*

D. JUAN.   La apuesta fue...

D. LUIS.   Porque un día
                dije que en España entera
                no habría nadie que hiciera
                lo que hiciera Luis Mejía.

D. JUAN.   Y siendo contradictorio
                al vuestro mi parecer,
                yo os dije: «Nadie ha de hacer
                lo que hará don Juan Tenorio.»
                ¿No es así?

D. LUIS.   Sin duda alguna;
                y vinimos a apostar
                quién de ambos sabría obrar
                peor, con mejor fortuna,
                en el término de un año;
                juntándonos aquí hoy
                a probarlo.

D. JUAN.   Y aquí estoy.

D. LUIS.   Y yo.

CENTELLAS.   ¡Empeño bien extraño,
                por vida mía!

D. JUAN.   Hablad, pues.

D. LUIS.   No, vos debéis empezar.

D. JUAN.   Como gustéis, igual es,
                que nunca me hago esperar.
                Pues, señor, yo desde aquí,
                buscando mayor espacio
                para mis hazañas, di
                sobre Italia, porque allí
                tiene el placer un palacio.
                De la guerra y del amor
                antigua y clásica tierra,
                y en ella el Emperador,
                con ella y con Francia en guerra,
                díjeme: «¿Dónde mejor?
                Donde hay soldados hay juego,
                hay pendencias y amoríos.»
                Di, pues, sobre Italia luego,

buscando a sangre y a fuego
amores y desafíos.
En Roma, a mi apuesta fiel,
fijé entre hostil y amatorio,
en mi puerta este cartel:
Aquí está don Juan Tenorio
para quien quiera algo de él.
De aquellos días la historia
a relataros renuncio;
remítome a la memoria
que dejé allí, y de mi gloria
podéis juzgar por mi anuncio.
Las romanas caprichosas,
las costumbres licenciosas,
yo gallardo y calavera,
¿quién a cuento redujera
mis empresas amorosas?
Salí de Roma por fin
como os podéis figurar,
con un disfraz harto ruin
y a lomos de un mal rocín,
pues me quería ahorcar.
Fui al ejército de España;
mas todos paisanos míos,
soldados y en tierra extraña,
dejé pronto su compaña
tras cinco o seis desafíos.
Nápoles, rico vergel
de amor, de placer emporio,
vio en mi segundo cartel:
Aquí está don Juan Tenorio,
y no hay hombre para él.
Desde la princesa altiva
a la que pesca en ruin barca,
no hay hembra a quien no suscriba,
y cualquier empresa abarca
si en oro o valor estriba.
Búsquenle los reñidores;
cérquenle los jugadores;

quien se precie que le ataje,
a ver si hay quien le aventaje
en juego, en lid o en amores.
Esto escribí; y en medio año
que mi presencia gozó
Nápoles, no hay lance extraño,
no hubo escándalo ni engaño
en que no me hallara yo.
Por dondequiera que fui,
la razón atropellé,
la virtud escarnecí,
a la justicia burlé
y a las mujeres vendí.
Yo a las cabañas bajé,
yo a los palacios subí,
yo los claustros escalé
y en todas partes dejé
memoria amarga de mí.
Ni reconocí sagrado,
ni hubo razón ni lugar
por mi audacia respetado;
ni en distinguir me he parado
al clérigo del seglar.
A quien quise provoqué,
con quien quiso me batí,
y nunca consideré
que pudo matarme a mí
aquel a quien yo maté.
A esto don Juan se arrojó,
y escrito en este papel
está cuanto consiguió,
y lo que él aquí escribió,
mantenido está por él.

D. Luis.   Leed, pues.
D. Juan.   No; oigamos antes
vuestros bizarros extremos,
y si traéis terminantes
vuestras notas comprobantes,
lo escrito cotejaremos.

D. LUIS.   Decís bien; cosa es que está,
      don Juan, muy puesta en razón,
      aunque, a mi ver, poco irá
      de una a otra relación.

D. JUAN.   Empezad, pues.

D. LUIS.   Allá va.
      Buscando yo, como vos,
      a mi aliento empresas grandes,
      dije: «¿Do iré, ¡vive Dios!,
      de amor y lides en pos
      que vaya mejor que a Flandes?
      Allí, puesto que empeñadas
      guerras hay, a mis deseos
      habrá al par centuplicadas
      ocasiones extremadas
      de riñas y galanteos.»
      Y en Flandes conmigo di;
      mas con tan negra fortuna,
      que al mes de encontrarme allí
      todo mi caudal perdí,
      dobla a dobla, una por una.
      En tan total carestía,
      mirándome de dinero,
      de mí todo el mundo huía;
      mas yo busqué compañía
      y me uní a unos bandoleros.
      Lo hicimos bien, ¡voto a tal!,
      y fuimos tan adelante,
      con suerte tan colosal,
      que entramos a saco en Gante
      el palacio episcopal.
      ¡Qué noche! Por el decoro
      de la Pascua, el buen obispo
      bajó a presidir el coro,
      y aún de alegría me crispo
      al recordar su tesoro.
      Todo cayó en poder nuestro;
      mas mi capitán, avaro,
      puso mi parte en secuestro;

reñimos, fui yo más diestro,
y le crucé sin reparo.
Juróme al punto la gente
capitán por más valiente;
juréles yo amistad franca;
pero a la noche siguiente
huí y les dejé sin blanca.
Yo me acordé del refrán
de que quien roba al ladrón
ha cien años de perdón,
y me arrojé a tal desmán
mirando a mi salvación.
Pasé a Alemania opulento;
mas un provincial jerónimo,
hombre de mucho talento,
me conoció, y al momento
me delató en un anónimo.
Compré a fuerza de dinero
la libertad y el papel,
y topando en un sendero
al fraile, le envié certero
una bala envuelta en él.
Salté a Francia, ¡buen país!,
y como en Nápoles vos,
puse un cartel en París
diciendo: *Aquí hay un don Luis*
que vale lo menos dos.
Parará aquí algunos meses,
y no trae más intereses
ni se aviene a más empresas,
que adorar a las francesas,
y a reñir con los franceses.
Esto escribí; y en medio año
que mi presencia gozó
París, no hubo lance extraño,
no hubo escándalo ni daño
donde no me hallara yo.
Mas, como don Juan, mi historia
también a alargar renuncio,

que basta para mi gloria
la magnífica memoria
que allí dejé con mi anuncio.
Y cual vos, por donde fui
la razón atropellé,
la virtud escarnecí,
a la justicia burlé
y a las mujeres vendí.
Mi hacienda llevo perdida
tres veces; mas se me antoja
reponerla, y me convida
mi boda comprometida
con doña Ana de Pantoja.
Mujer muy rica me dan,
y mañana hay que cumplir
los tratos que hechos están;
lo que os advierto, don Juan,
por si queréis asistir.
A esto don Luis arrojó,
y escrito en este papel
está lo que consiguió;
y lo que él aquí escribió,
mantenido está por él.

D. JUAN.   La historia es tan semejante,
que está en fiel la balanza;
mas vamos a lo importante,
que es el guarismo a que alcanza
el papel; conque adelante.

D. LUIS.   Razón tenéis en verdad.
Aquí está el mío; mirad,
por una línea apartados
traigo los nombres sentados
para mayor claridad.

D. JUAN.   Del mismo modo arregladas
mis cuentas traigo en el mío:
en dos líneas separadas
los muertos en desafío
y las mujeres burladas.
Contad.

D. LUIS.   Contad.
D. JUAN.   Veintitrés.
D. LUIS.   Son los muertos. A ver vos.
              ¡Por la cruz de San Andrés!
              Aquí sumo treinta y dos.
D. JUAN.   Son los muertos.
D. LUIS.   Matar es.
D. JUAN.   Nueve os llevo.
D. LUIS.   Me vencéis.
              Pasemos a las conquistas.
D. JUAN.   Sumo aquí cincuenta y seis.
D. LUIS.   Y yo sumo en vuestras listas
              setenta y dos.
D. JUAN.   Pues perdéis.
D. LUIS.   ¡Es increíble, don Juan!
D. JUAN.   Si lo dudáis, apuntados
              los testigos ahí están,
              que si fueren preguntados
              os lo testificarán.
D. LUIS.   ¡Oh! Y vuestra lista es cabal.
D. JUAN.   Desde una princesa real
              a la hija de un pescador,
              ¡oh!, ha recorrido mi amor
              toda la escala social.
              ¿Tenéis algo que tachar?
D. LUIS.   Sólo una os falta en justicia.
D. JUAN.   ¿Me lo podéis señalar?
D. LUIS.   Sí, por cierto; una novicia
              que esté para profesar.
D. JUAN.   ¡Bah! Pues yo os complaceré
              doblemente, porque os digo
              que a la novicia uniré
              la dama de algún amigo
              que para casarse esté.
D. LUIS.   ¡Pardiez, que sois atrevido!
D. JUAN.   Yo os lo apuesto si queréis.
D. LUIS.   Digo que acepto el partido;
              para darlo por perdido,
              ¿queréis veinte días?

D. JUAN.   Seis.

D. LUIS.   ¡Por Dios que sois hombre extraño!
                ¿Cuántos días empleáis
                en cada mujer que amáis?

D. JUAN.   Partid los días del año
                entre las que ahí encontráis.
                Uno para enamorarlas,
                otro para conseguirlas,
                otro para abandonarlas,
                dos para sustituirlas
                y una hora para olvidarlas.
                Pero la verdad a hablaros,
                pedir más no se me antoja,
                y pues que vais a casaros,
                mañana pienso quitaros
                a doña Ana de Pantoja.

D. LUIS.   Don Juan, ¿qué es lo que decís?

D. JUAN.   Don Luis, lo que oído habéis.

D. LUIS.   Ved, don Juan, lo que emprendéis.

D. JUAN.   Lo que he de lograr, don Luis.

D. LUIS.   ¡Gastón!

GASTÓN.   Señor.

D. LUIS.   Ven acá.

                (Habla don Luis en secreto con Gastón,
                y éste se va precipitadamente)

D. JUAN.   ¡Ciutti!

CIUTTI.   Señor.

                (Don Juan ídem con Ciutti, que hace
                lo mismo)

D. JUAN.   Ven aquí.

D. LUIS.   ¿Estáis en lo dicho?

D. JUAN.   Sí.

D. LUIS.   Pues va la vida.

D. JUAN.   Pues va.

                (Don Gonzalo, levantándose de la mesa
                en que ha permanecido inmóvil durante
                la escena anterior, se afronta con don
                Juan y don Luis)

D. GONZALO. ¡Insensatos! Vive Dios
que, a no temblarme las manos,
a palos, como villanos,
os diera muerte a los dos.

D. LUIS.
D. JUAN. } Veamos. *(Empuñando.)*

D. GONZALO.   Excusado es,
que he vivido lo bastante
para no estar arrogante
donde no puedo.

D. JUAN.   Idos, pues.

D. GONZALO. Antes, don Juan, de salir
de donde oírme podáis,
es necesario que oigáis
lo que os tengo que decir.
Vuestro buen padre don Diego,
porque pleitos acomoda,
os apalabró una boda
que iba a celebrarse luego;
pero por mí mismo yo,
lo que erais queriendo ver,
vine aquí al anochecer,
y el veros me avergonzó.

D. JUAN. ¡Por Satanás, viejo insano,
que no sé cómo he tenido
calma para haberte oído
sin asentarte la mano!
Pero ¡di pronto quién eres,
porque me siento capaz
de arrancarte el antifaz
con el alma que tuvieres!

D. GONZALO. ¡Don Juan!

D. JUAN.   ¡Pronto!

D. GONZALO.   Mira, pues.

D. JUAN. ¡Don Gonzalo!

D. GONZALO.   El mismo soy.
Y adiós, don Juan; mas desde hoy
no penséis en doña Inés.

Porque antes que consentir
en que se case con vos,
el sepulcro, ¡juro a Dios!,
por mi mano la he de abrir.

D. JUAN.   Me hacéis reír, don Gonzalo;
pues venirme a provocar,
es como ir a amenazar
a un león con un mal palo.
Y pues hay tiempo, advertir
os quiero a mi vez a vos
que, o me la dais, o por Dios
que a quitárosla he de ir.

D. GONZALO.   ¡Miserable!

D. JUAN.   Dicho está;
sólo una mujer como ésta
me falta para mi apuesta;
ved, pues, que apostada va.
*(Don Diego, levantándose de la mesa en
que ha permanecido encubierto mientras
la escena anterior, baja al centro de la
escena, encarándose con don Juan)*

D. DIEGO.   No puedo más escucharte,
vil don Juan, porque recelo
que hay algún rayo en el cielo
preparado a aniquilarte.
¡Ah!... No pudiendo creer
lo que de ti me decían,
confiado en que mentían,
te vine esta noche a ver.
Pero te juro, malvado,
que me pesa haber venido
para salir convencido
de lo que es para ignorado.
Sigue, pues, con ciego afán
en tu torpe frenesí,
mas nunca vuelvas a mí;
no te conozco, don Juan.

D. JUAN.   ¿Quién nunca a ti se volvió,
ni quien osa hablarme así,

	ni qué se me importa a mí que me conozcas o no?
D. DIEGO.	Adiós, pues; mas no te olvides de que hay un Dios justiciero.
D. JUAN.	Ten. *(Deteniéndole.)*
D. DIEGO.	¿Qué quieres?
D. JUAN.	Verte quiero.
D. DIEGO.	Nunca; en vano me lo pides.
D. JUAN.	¿Nunca?
D. DIEGO.	No.
D. JUAN.	Cuando me cuadre.
D. DIEGO.	¿Cómo?
D. JUAN.	Así. *(Le arranca el antifaz.)*
TODOS.	¡Don Juan!
D. DIEGO.	¡Villano! Me has puesto en la faz la mano.
D. JUAN.	¡Válgame Cristo, mi padre!
D. DIEGO.	Mientes; no lo fui jamás.
D. JUAN.	¡Reportaos, por Belcebú!
D. DIEGO.	No; los hijos como tú son hijos de Satanás. Comendador, nulo sea lo hablado.
D. GONZALO.	Ya lo es por mí; vamos.
D. DIEGO.	Sí; vamos de aquí donde tal monstruo no vea. Don Juan, en brazos del vicio desolado te abandono; me matas..., mas te perdono de Dios en el santo juicio. *(Vanse poco a poco don Diego y don Gonzalo)*
D. JUAN.	Largo el plazo me ponéis; mas ved que os quiero advertir que yo no os he ido a pedir jamás que me perdonéis.

Conque no paséis afán
de aquí adelante por mí,
que como vivió hasta aquí,
vivirá siempre don Juan.

ESCENA XIII

DON JUAN, DON LUIS, CENTELLAS, AVELLANEDA,
BUTTARELLI, CURIOSOS y MÁSCARAS

D. JUAN.   ¡Eh! Ya salimos del paso,
y no hay que extrañar la homilía;
son pláticas de familia,
de las que nunca hice caso.
Conque lo dicho, don Luis,
van doña Ana y doña Inés
en apuesta.

D. LUIS.   Y el precio es
la vida.

D. JUAN.   Vos lo decís;
vamos.

D. LUIS.   Vamos.
*(Al salir se presenta una ronda, que los
detiene)*

ESCENA XIV

DICHOS y UNA RONDA DE ALGUACILES

ALGUACIL.   Alto allá.
¿Don Juan Tenorio?

D. JUAN.   Yo soy.

ALGUACIL.   Sed preso.

D. JUAN.   ¿Soñando estoy?
¿Por qué?

ALGUACIL.   Después lo verá.

D. LUIS.   *(Acercándose a don Juan y riéndose.)*
                Tenorio, no lo extrañéis,
                pues mirando a lo apostado,
                mi paje os ha delatado
                para que vos no ganéis.
D. JUAN.   ¡Hola! ¡Pues no os suponía
                con tal despejo, pardiez!
D. LUIS.   Id, pues, que por esta vez,
                don Juan, la partida es mía.
D. JUAN.   Vamos, pues.
                *(Al salir, los detiene otra ronda que entra
                            en la escena)*

ESCENA XV

DICHOS y UNA RONDA

ALGUACIL.   *(Que entra.)* Téngase allá.
                ¿Don Luis Mejía?
D. LUIS.   Yo soy.
ALGUACIL.   Sed preso.
D. LUIS.   ¿Soñando estoy?
                ¡Yo preso!
D. JUAN.   *(Soltando la carcajada.)*
                ¡Ja, ja, ja, ja!
                Mejía, no lo extrañéis,
                pues mirando a lo apostado,
                mi paje os ha delatado
                para que no me estorbéis.
D. LUIS.   Satisfecho quedaré
                aunque ambos muramos.
D. JUAN.   Vamos;
                conque, señores, quedamos
                en que la apuesta está en pie.
                *(Las rondas se llevan a don Juan y a
                don Luis; muchos los siguen. El capitán
                Centellas, Avellaneda y sus amigos que-
                dan en la escena mirándose unos a otros)*

ESCENA XVI

EL CAPITÁN CENTELLAS, AVELLANEDA y CURIOSOS

AVELLANEDA.   ¡Parece un juego ilusorio!
CENTELLAS.   ¡Sin verlo no lo creería!
AVELLANEDA.   Pues yo apuesto por Mejía.
CENTELLAS.   Y yo pongo por Tenorio.

FIN DEL ACTO PRIMERO

ACTO SEGUNDO

Destreza

Personajes: DON JUAN TENORIO, DON LUIS MEJÍA, DOÑA
ANA DE PANTOJA, CIUTTI, PASCUAL, LUCÍA, BRÍGIDA Y
TRES EMBOZADOS DEL SERVICIO DE DON JUAN

*Exterior de la casa de doña Ana, vista por una esquina.
Las dos paredes que forman el ángulo se prolongan
igualmente por ambos lados, dejando ver en la de la
derecha una reja, y en la de la izquierda, una reja y
una puerta*

ESCENA I

DON LUIS MEJÍA, *embozado*

D. LUIS.   Ya estoy frente de la casa
de doña Ana, y es preciso
que esta noche tenga aviso
de lo que en Sevilla pasa.
No di con persona alguna
por dicha mía... ¡Oh, qué afán!
Por ahora, señor don Juan,
cada cual con su fortuna.
Si honor y vida se juega,
mi destreza y mi valor
por mi vida y por mi honor
jugarán..., mas alguien llega.

ESCENA II

DON LUIS y PASCUAL

PASCUAL.   ¡Quién creyera lance tal!
              ¡Jesús, qué escándalo! ¡Presos!
D. LUIS.   ¡Qué veo! ¿Es Pascual?
PASCUAL.   Los sesos
              me estrellaría.
D. LUIS.   ¡Pascual!
PASCUAL.   ¿Quién me llama tan apriesa?
D. LUIS.   Yo, don Luis.
PASCUAL.   ¡Válgame Dios!
D. LUIS.   ¿Qué te asombra?
PASCUAL.   Que seáis vos.
D. LUIS.   Mi suerte, Pascual, es ésa.
              Que a no ser yo quien me soy
              y a no dar contigo ahora,
              el honor de mi señora
              doña Ana moría hoy.
PASCUAL.   ¿Qué es lo que decís?
D. LUIS.   ¿Conoces
              a· don Juan Tenorio?
PASCUAL.   Sí.
              ¿Quién no le conoce aquí?
              Mas, según públicas voces,
              estabais presos los dos.
              ¡Vamos, lo que el vulgo miente!
D. LUIS.   Ahora, acertadamente,
              habló el vulgo; y juro a Dios
              que, a no ser porque mi primo,
              el tesorero real,
              quiso fiarme, Pascual,
              pierdo cuanto más estimo.
PASCUAL.   Pues ¿cómo?
D. LUIS.   ¿En servirme estás?
PASCUAL.   Hasta morir.
D. LUIS.   Pues escucha.

Don Juan y yo, en una lucha
arriesgada por demás
empeñados nos hallamos;
pero, a querer tú ayudarme,
más que la vida salvarme
puedes.

PASCUAL.   ¿Qué hay que hacer? Sepamos.
D. LUIS.   En una insigne locura
dimos tiempo ha: en apostar
cuál de ambos sabría obrar
peor con mejor ventura.
Ambos nos hemos portado
bizarramente a cuál más;
pero él es un Satanás,
y por fin me ha aventajado.
Púsele no sé qué pero;
dijímonos no sé qué
sobre ello, y el hecho fue
que él, mofándose altanero,
me dijo: «Y si esto no os llena,
pues que os casáis con doña Ana,
os apuesto a que mañana
os la quito yo.»

PASCUAL.   ¡Ésa es buena!
¿Tal se ha atrevido a decir?
D. LUIS.   No es lo malo que lo diga,
Pascual, sino que consiga
lo que intenta.

PASCUAL.   ¿Conseguir?
En tanto que yo esté aquí,
descuidad, don Luis.
D. LUIS.   Te juro
que si el lance no aseguro,
no sé qué va a ser de mí.
PASCUAL.   Por la Virgen del Pilar,
¿le teméis?
D. LUIS.   ¡No; Dios testigo!
Mas lleva ese hombre consigo
algún diablo familiar.

PASCUAL.   Dadlo por asegurado.

D. LUIS.   ¡Oh! Tal es el afán mío,
que ni en mí propio me fío
con un hombre tan osado.

PASCUAL.   Yo os juro, por San Ginés,
que con toda su osadía,
le ha de hacer, por vida mía,
mal tercio un aragonés;
nos veremos.

D. LUIS.   ¡Ay, Pascual,
que en qué te metes no sabes!

PASCUAL.   En apreturas más graves
me he visto, y no salí mal.

D. LUIS.   Estriba en lo perentorio
del plazo y en ser quién es.

PASCUAL.   Más que un buen aragonés
no ha de valer un Tenorio.
Todos esos lenguaraces,
espadachines de oficio,
no son más que frontispicio
y de poca alma capaces.
Para infamar a mujeres
tienen lengua, y tienen manos
para osar a los ancianos
o apalear a mercaderes.
Mas cuando una buena espada,
por un buen brazo esgrimida,
con la muerte les convida,
todo su valor es nada.
Y sus empresas y bullas
se reducen todas ellas
a hablar mal de las doncellas
y a huir ante las patrullas.

D. LUIS.   ¡Pascual!

PASCUAL.   No lo hablo por vos,
que, aunque sois un calavera,
tenéis la alma bien entera
y reñís bien, ¡voto a bríos!

D. LUIS.	Pues si es en mí tan notorio
	el valor, mira, Pascual,
	que el valor es proverbial
	en la raza de Tenorio.
	Y porque conozco bien
	de su valor el extremo,
	de sus ardides me temo
	que en tierra con mi honra den.
PASCUAL.	Pues suelto estáis ya, don Luis,
	y pues que tanto os acucia
	el mal de celos, su astucia
	con la astucia prevenid.
	¿Qué teméis de él?
D. LUIS.	No lo sé;
	mas esta noche sospecho
	que ha de procurar el hecho
	consumar.
PASCUAL.	Soñáis.
D. LUIS.	¿Por qué?
PASCUAL.	¿No está preso?
D. LUIS.	Sí que está;
	mas también lo estaba yo,
	y un hidalgo me fió.
PASCUAL.	Mas ¿quién a él le fiará?
D. LUIS.	En fin, sólo un medio encuentro
	de satisfacerme.
PASCUAL.	¿Cuál?
D. LUIS.	Que de esta casa, Pascual,
	quede yo esta noche dentro.
PASCUAL.	Mirad que así de doña Ana
	tenéis el honor vendido.
D. LUIS.	¡Qué mil rayos! ¿Su marido
	no voy a ser yo mañana?
PASCUAL.	Mas, señor, ¿no os digo yo
	que os fío con la existencia?
D. LUIS.	Sí; salir de una pendencia,
	mas de un ardid diestro, no.
	Y en fin, o paso en la casa

la noche, o tomo la calle,
aunque la justicia me halle.

PASCUAL. Señor don Luis, eso pasa
de terquedad, y es capricho
que dejar os aconsejo,
y os irá bien.

D. LUIS. No lo dejo,
Pascual.

PASCUAL. ¡Don Luis!

D. LUIS. Está dicho.

PASCUAL. ¡Vive Dios! ¿Hay tal afán?

D. LUIS. Tú dirás lo que quisieres,
mas yo fío en las mujeres
mucho menos que don Juan.
Y pues lance es extremado
por dos locos emprendido,
bien será un loco atrevido
para un loco desalmado.

PASCUAL. Mirad bien lo que decís,
porque yo sirvo a doña Ana
desde que nació, y mañana
seréis su esposo, don Luis.

D. LUIS. Pascual, esa hora llegada
y ese derecho adquirido,
yo sabré ser su marido
y la haré ser bien casada.
Mas, en tanto...

PASCUAL. No habléis más.
Yo os conozco desde niños
y sé lo que son cariños,
¡por vida de Barrabás!
Oíd: mi cuarto es sobrado
para los dos; dentro de él
quedad; mas palabra fiel
dadme de estaros callado.

D. LUIS. Te la doy.

PASCUAL. Y hasta mañana,
juntos, con doble cautela,
nos quedaremos en vela.

D. LUIS.	Y se salvará doña Ana.
PASCUAL.	Sea.
D. LUIS.	Pues vamos.
PASCUAL.	Teneos.

PASCUAL.   ¿Qué vais a hacer?

D. LUIS.   Entrar.

PASCUAL.   ¿Ya?

D. LUIS.   ¿Quién sabe lo que él hará?

PASCUAL.   Vuestros celosos deseos
reprimid; que ser no puede
mientras que no se recoja
mi amo, don Gil de Pantoja,
y todo en silencio quede.

D. LUIS.   ¡Voto a...!

PASCUAL.   ¡Eh! Dad una vez
breves treguas al amor.

D. LUIS.   ¿Y a qué hora ese buen señor
suele acostarse?

PASCUAL.   A las diez;
y en esa calleja estrecha
hay una reja; llamad
a las diez, y descuidad
mientras en mí.

D. LUIS.   Es cosa hecha.

PASCUAL.   Don Luis, hasta luego, pues.

D. LUIS.   Adiós, Pascual, hasta luego.

ESCENA III

DON LUIS

D. LUIS.   Jamás tal desasosiego
tuve. Paréceme que es
esta noche hora menguada
para mí..., y no sé qué vago
presentimiento, qué estrago
teme mi alma acongojada.

Por Dios, que nunca pensé
que a doña Ana amara así,
ni por ninguna sentí
lo que por ella... ¡Oh! Y a fe
que de don Juan me amedrenta
no el valor, mas la ventura
parece que le asegura
Satanás en cuanto intenta.
No, no; es un hombre infernal,
y téngome para mí
que, si me aparto de aquí,
me burla, pese a Pascual.
Y aunque me tenga por necio,
quiero entrar; que con don Juan
las precauciones no están
para vistas con desprecio.
(Llama a la ventana.)

ESCENA IV

DON LUIS *y* DOÑA ANA

D.ª ANA.	¿Quién va?
D. LUIS.	¿No es Pascual?
D.ª ANA.	¡Don Luis!
D. LUIS.	¡Doña Ana!
D.ª ANA.	¿Por la ventana llamas ahora?
D. LUIS.	¡Ay, doña Ana, cuán a buen tiempo salís!
D.ª ANA.	Pues ¿qué hay, Mejía?
D. LUIS.	Un empeño por tu beldad con un hombre que temo.
D.ª ANA.	¿Y qué hay que te asombre en él, cuando eres tú el dueño de mi corazón?
D. LUIS.	Doña Ana,

                    no lo puedes comprender
                    de ese hombre, sin conocer
                    nombre y suerte.

D.ª ANA.   Será vana
                    su buena suerte conmigo;
                    ya ves: sólo horas nos faltan
                    para la boda, y te asaltan
                    vanos temores.

D. LUIS.   Testigo
                    me es Dios que nada por mí
                    me da pavor mientras tenga
                    espada, y ese hombre venga
                    cara a cara contra ti.
                    Mas, como el león audaz,
                    y cauteloso y prudente,
                    como la astuta serpiente...

D.ª ANA.   ¡Bah!, duerme, don Luis, en paz;
                    que su audacia y su prudencia
                    nada lograrán de mí,
                    que tengo cifrada en ti
                    la gloria de mi existencia.

D. LUIS.   Pues bien, Ana; de ese amor
                    que me aseguras en nombre,
                    para no temer a ese hombre,
                    voy a pedirte un favor.

D.ª ANA.   Di; mas bajo, por si escucha
                    tal vez alguno.

D. LUIS.   Oye, pues.

ESCENA V

DOÑA ANA y DON LUIS, *a la reja derecha;* DON JUAN
        y CIUTTI, *en la calle izquierda*

CIUTTI.   Señor, por mi vida que es
                    vuestra suerte buena y mucha.

D. JUAN.   Ciutti, nadie como yo;
                    ya viste cuán fácilmente

el buen alcaide prudente
se avino, y suelta me dio.
Mas no hay ya en ello que hablar;
¿mis encargos has cumplido?

CIUTTI.   Todos los he concluido
mejor que pude esperar.

D. JUAN.   ¿La beata?...

CIUTTI.   Ésta es la llave
de la puerta del jardín,
que habrá de escalar al fin;
pues como usarced ya sabe,
las tapias de este convento
no tienen entrada alguna.

D. JUAN.   ¿Y te dio carta?

CIUTTI.   Ninguna;
me dijo que aquí al momento
iba a salir de camino;
que al convento se volvía,
y que con vos hablaría.

D. JUAN.   Mejor es.

CIUTTI.   Lo mismo opino.

D. JUAN.   ¿Y los caballos?

CIUTTI.   Con silla
y freno los tengo ya.

D. JUAN.   ¿Y la gente?

CIUTTI.   Cerca está.

D. JUAN.   Bien, Ciutti; mientras Sevilla
tranquila en sueño reposa
creyéndome encarcelado,
otros dos nombres añado
a mi lista numerosa.
¡Ja, ja!

CIUTTI.   Señor.

D. JUAN.   ¿Qué?

CIUTTI.   Callad.

D. JUAN.   ¿Qué hay, Ciutti?

CIUTTI.   Al doblar la esquina,
en esa reja vecina
he visto un hombre.

D. JUAN.   Es verdad;
pues ahora sí que es mejor
el lance; ¿y si es ése?

CIUTTI.   ¿Quién?

D. JUAN.   Don Luis.

CIUTTI.   Imposible.

D. JUAN.   ¡Toma!
¿No estoy yo aquí?

CIUTTI.   Diferencia
va de él a vos.

D. JUAN.   Evidencia
lo creo, Ciutti; allí asoma
tras de la reja una dama.

CIUTTI.   Una criada tal vez.

D. JUAN.   Preciso es verlo, pardiez;
no perdamos lance y fama.
Mira, Ciutti: a fuer de ronda,
tú, con varios de los míos,
por esa calle escurríos,
dando vuelta a la redonda
a la casa.

CIUTTI.   Y en tal caso
cerrará ella.

D. JUAN.   Pues con eso,
ella ignorante y él preso,
nos dejará franco el paso.

CIUTTI.   Decís bien.

D. JUAN.   Corre y atájale,
que en ello vencer consiste.

CIUTTI.   ¿Mas si el truhán se resiste?...

D. JUAN.   Entonces, de un tajo rájale.

ESCENA VI

DOÑA ANA *y* DON LUIS

D. LUIS.   ¿Me das, pues, tu asentimiento?
D.ª ANA.   Consiento.
D. LUIS.   ¿Complácesme de ese modo?

D.ª ANA.	En todo.
D. LUIS.	Pues te velaré hasta el día.
D.ª ANA.	Sí, Mejía.
D. LUIS.	Páguete el cielo, Ana mía,
	satisfacción tan entera.
D.ª ANA.	Porque me juzgues sincera,
	consiento en todo, Mejía.
D. LUIS.	Volveré, pues, otra vez.
D.ª ANA.	Sí, a las diez.
D. LUIS.	¿Me aguardarás, Ana?
D.ª ANA.	Sí.
D. LUIS.	Aquí.
D.ª ANA	¿Y tú estarás puntual, eh?
D. LUIS.	Estaré.
D.ª ANA	La llave, pues, te daré.
D. LUIS.	Y dentro yo de tu casa,
	venga Tenorio.
D.ª ANA	Alguien pasa.
	A las diez.
D. LUIS.	Aquí estaré.

ESCENA VII

DON JUAN y DON LUIS

D. LUIS.	Mas se acercan. ¿Quién va allá?
D. JUAN.	Quien va.
D. LUIS.	De quien va así, ¿qué se infiere?
D. JUAN.	Que quiere.
D. LUIS.	¿Ver si la lengua le arranco?
D. JUAN.	El paso franco.
D. LUIS.	Guardado está.
D. JUAN.	¿Y yo soy manco?
D. LUIS.	Pidiéraislo en cortesía.
D. JUAN.	¿Y a quién?
D. LUIS.	A don Luis Mejía.
D. JUAN.	Quien va quiere el paso franco.

D. Luis.   ¿Conocéisme?
D. Juan.   Sí.
D. Luis.   ¿Y yo a vos?
D. Juan.   Los dos.
D. Luis.   ¿Y en qué estriba el estorballe?
D. Juan.   En la calle.
D. Luis.   ¿De ella los dos por ser amos?
D. Juan.   Estamos
D. Luis.   Dos hay no más que podamos
                necesitarla a la vez.
D. Juan.   Lo sé
D. Luis.   Sois don Juan.
D. Juan.   ¡Pardiez!
                Los dos ya en la calle estamos.
D. Luis.   ¿No os prendieron?
D. Juan.   Como a vos.
D. Luis.   ¡Vive Dios!
                ¿Y huisteis?
D. Juan.   Os imité:
                ¿y qué?
D. Luis.   Que perderéis.
D. Juan.   No sabemos.
D. Luis.   Lo veremos.
D. Juan.   La dama entrambos tenemos
                sitiada, y estáis cogido.
D. Luis.   Tiempo hay.
D. Juan.   Para vos perdido.
D. Luis.   ¡Vive Dios que lo veremos!
                *(Don Luis desenvaina su espada; mas
                Ciutti, que ha bajado con los suyos cau-
                telosamente hasta colocarse tras él, le
                                sujeta)*
D. Juan.   Señor don Luis, vedlo, pues.
D. Luis.   Traición es.
D. Juan.   La boca...
                (A los suyos, que se la tapan a don Luis)
D. Luis.   ¡Oh! *(Le sujetan los brazos.)*
D. Juan.   Sujeto atrás.
                Más.

La empresa es, señor Mejía,
    como mía.
Encerrádmele hasta el día. *(A los suyos.)*
La apuesta está ya en mi mano.
(A don Luis.)
Adiós, don Luis; si os la gano,
traición es, mas como mía.

ESCENA VIII

DON JUAN

D. JUAN.   Buen lance, ¡viven los cielos!
Éstos son los que dan fama;
mientras le soplo la dama,
él se arrancará los pelos
encerrado en mi bodega.
¿Y ella?... Cuando crea hallarse
con él... ¡Ja, ja! ¡Oh!, y quejarse
no puede; limpio se juega.
A la cárcel le llevé,
y salió; llevóme a mí,
y salí; hallarnos aquí
era fuerza..., ya se ve;
su parte en la grave apuesta
defendía cada cual.
Mas con la suerte está mal
Mejía, y también pierde ésta.
Sin embargo, y por si acaso,
no es de más asegurarse
de Lucía, a desgraciarse
no vaya por poco el paso.
Mas por allí un bulto negro
se aproxima... y, a mi ver,
es el bulto una mujer.
¿Otra aventura? Me alegro.

ESCENA IX

DON JUAN y BRÍGIDA

BRÍGIDA.	¿Caballero?
D. JUAN.	¿Quién va allá?
BRÍGIDA.	¿Sois don Juan?
D. JUAN.	¡Por vida de...!

¡Si es la beata! ¡Y a fe
que la había olvidado ya!
Llegaos, don Juan, soy yo.

BRÍGIDA.	¿Estáis solo?
D. JUAN.	Con el diablo.
BRÍGIDA.	Jesucristo!
D. JUAN.	Por vos lo hablo.
BRÍGIDA.	¿Soy yo el diablo?
D. JUAN.	Créolo.
BRÍGIDA.	¡Vaya! ¡Qué cosas tenéis!

Vos sí que sois un diablillo...

D. JUAN.	Que te llenará el bolsillo

si le sirves.

BRÍGIDA	Lo veréis.
D. JUAN.	Descarga, pues, ese pecho.

¿Qué hiciste?

BRÍGIDA.	Cuanto me ha dicho

vuestra paje..., ¡y qué mal bicho
es ese Ciutti!

D. JUAN.	¿Qué ha hecho?
BRÍGIDA.	¡Gran bribón!
D. JUAN.	¿No os ha entregado

un bolsillo y un papel?

BRÍGIDA.	Leyendo estará ahora en él

doña Inés.

D. JUAN.	¿La has preparado?
BRÍGIDA.	¡Vaya!, y os la he convencido

con tal maña y de manera
que irá como una cordera
tras vos.

D. JUAN.   ¿Tan fácil te ha sido?
BRÍGIDA.   ¡Bah!, pobre garza enjaulada,
                  dentro la jaula nacida,
                  ¿qué sabe ella si hay más vida
                  ni más aire en que volar?
                  Si no vio nunca sus plumas
                  del sol a los resplandores,
                  ¿qué sabe de los colores
                  de que se puede ufanar?
                  No cuenta la pobrecilla
                  diecisiete primaveras,
                  y aún virgen a las primeras
                  impresiones del amor,
                  nunca concibió la dicha
                  fuera de su propia estancia
                  tratada desde la infancia
                  con cauteloso rigor.
                  Y tantos años monótonos
                  de soledad y convento
                  tenían su pensamiento
                  ceñido a punto tan ruin,
                  a tan reducido espacio
                  y a círculo tan mezquino,
                  que era el claustro su destino
                  y el altar era su fin.
                  «Aquí está Dios», le dijeron;
                  y ella dijo: «Aquí le adoro.»
                  «Aquí está el claustro y el coro.»
                  Y pensó: «No hay más allá.»
                  Y sin otras ilusiones
                  que sus sueños infantiles,
                  pasó diecisiete abriles
                  sin conocerlo quizá.
D. JUAN.   ¿Y está hermosa?
BRÍGIDA.   ¡Oh! Como un ángel.
D. JUAN.   Y la has dicho...
BRÍGIDA.   Figuraos
                  si habré metido mal caos
                  en su cabeza, don Juan.

Le hablé del amor, del mundo,
de la corte y los placeres,
de cuánto con las mujeres
erais pródigo y galán.
Le dije que erais el hombre
por su padre destinado
para suyo; os he pintado
muerto por ella de amor,
desesperado por ella,
y por ella perseguido
y por ella decidido
a perder vida y honor.
En fin, mis dulces palabras,
al posarse en sus oídos,
sus deseos mal dormidos
arrastraron de sí en pos,
y allá dentro de su pecho
han inflamado una llama
de fuerza tal que ya os ama
y no piensa más que en vos.

D. JUAN.   Tan incentiva pintura
los sentidos me enajena,
y el alma ardiente me llena
de su insensata pasión.
Empezó por una apuesta,
siguió por un devaneo,
engendró luego un deseo,
y hoy me quema el corazón.
Poco es el centro de un claustro;
¡al mismo infierno bajara,
y a estocadas la arrancara
de los brazos de Satán!
¡Oh! Hermosa flor cuyo cáliz
al rocío aun no se ha abierto,
a trasplantarte va al huerto
de sus amores don Juan.
¿Brígida?

BRÍGIDA.   Os estoy oyendo,
y me hacéis perder el tino;

yo os creía un libertino
sin alma y sin corazón.

D. JUAN.   ¿Eso extrañas? ¿No está claro
que en un objeto tan noble
hay que interesarse doble
que en otros?

BRÍGIDA.   Tenéis razón.

D. JUAN.   ¿Conque a qué hora se recogen
las madres?

BRÍGIDA.   Ya recogidas
estarán. ¿Vos prevenidas
todas las cosas tenéis?

D. JUAN.   Todas.

BRÍGIDA.   Pues luego que doblen
a las ánimas, con tiento,
saltando al huerto, al convento
fácilmente entrar podéis
con la llave que os he enviado;
de un claustro oscuro y estrecho
es; seguidlo bien derecho,
y daréis con poco afán
en nuestra celda.

D. JUAN.   Y si acierto
a robar tan gran tesoro,
te he de hacer pesar en oro.

BRÍGIDA.   Por mí no queda, don Juan.

D. JUAN.   Ve y aguárdame.

BRÍGIDA.   Voy, pues,
a entrar por la portería,
y a cegar a sor María
la tornera. Hasta después.

*(Vase Brígida, y un poco antes de con-
cluir esta escena sale Ciutti, que se para
en el fondo esperando)*

ESCENA X

DON JUAN y CIUTTI

D. JUAN.   Pues, señor, ¡soberbio envite!
             Muchas hice, hasta esta hora,
             mas, por Dios, que la de ahora
             será tal que me acredite.
             Mas ya veo que me espera
             Ciutti. ¡Lebrel! *(Llamándole.)*

CIUTTI.   Aquí estoy.

D. JUAN.   ¿Y don Luis?

CIUTTI.   Libre por hoy
             estáis de él.

D. JUAN.   Ahora quisiera
             ver a Lucía.

CIUTTI.   Llegar
             podéis aquí. *(A la reja derecha.)* Yo la
             y al salir a mi reclamo   [llamo,
             la podéis vos abordar.

D. JUAN.   Llama, pues.

CIUTTI.   La seña mía
             sabe bien para que dude
             en acudir.

D. JUAN.   Pues si acude,
             lo demás es cuenta mía.
             *(Ciutti llama a la reja con una seña que
             parezca convenida. Lucía se asoma a ella,
             y, al ver a don Juan, se detiene un
                               momento)*

ESCENA XI

Don Juan, Lucía y Ciutti

Lucía.	¿Qué queréis, buen caballero?
D. Juan.	Quiero...
Lucía.	¿Qué queréis? Vamos a ver.
D. Juan.	Ver.
Lucía.	¿Ver? ¿Qué veréis a esta hora?
D. Juan.	A tu señora.
Lucía.	Idos, hidalgo, en mal hora;
	¿quién pensáis que vive aquí?
D. Juan.	Doña Ana de Pantoja, y
	quiero ver a tu señora.
Lucía.	¿Sabéis que casa doña Ana?
D. Juan.	Sí, mañana.
Lucía.	¿Y ha de ser tan infiel ya?
D. Juan.	Sí será.
Lucía.	Pues ¿no es de don Luis Mejía?
D. Juan.	¡Ca! Otro día.
	Hoy no es mañana, Lucía;
	yo he de estar hoy con doña Ana,
	y si se casa mañana,
	mañana será otro día.
Lucía.	¡Ah! ¿En recibiros está?
D. Juan.	Podrá.
Lucía.	¿Qué haré si os de de servir?
D. Juan.	Abrir.
Lucía.	¡Bah! ¿Y quién abre este castillo?
D. Juan.	Este bolsillo.
Lucía.	¡Oro!
D. Juan.	Pronto te dio el brillo.
Lucía.	¿Cuanto?
D. Juan.	De cien doblas pasa.
Lucía.	¡Jesús!
D. Juan.	Cuenta y di: esta casa
	¿podrá abrir este bolsillo?

LUCÍA.	¡Oh! Si es quien me dora el pico...
D. JUAN.	Muy rico. *(Interrumpiéndola.)*
LUCÍA.	¿Sí? ¿Qué nombre usa el galán?
D. JUAN.	Don Juan.
LUCÍA.	¿Sin apellido notorio?
D. JUAN.	Tenorio.
LUCÍA.	¡Ánimas del purgatorio!

¿Vos don Juan?

D. JUAN. ¿Qué te amedrenta
si a tus ojos se presenta
muy rico don Juan Tenorio?

LUCÍA.	Rechina la cerradura.
D. JUAN.	Se asegura.
LUCÍA.	¿Y a mí quién? ¡Por Belcebú!
D. JUAN.	Tú.
LUCÍA.	¿Y qué me abrirá el camino?
D. JUAN.	Buen tino.
LUCÍA.	¡Bah! Id en brazos del destino...
D. JUAN.	Dobla el oro.
LUCÍA.	Me acomodo.

D. JUAN. Pues mira cómo de todo
se asegura tu buen tino.

LUCÍA.	¡Dadme algún tiempo, pardiez!
D. JUAN.	A las diez.
LUCÍA.	¿Dónde os busco, o vos a mí?
D. JUAN.	Aquí.
LUCÍA.	¿Conque estaréis puntual, eh?
D. JUAN.	Estaré.
LUCÍA.	Pues yo una llave os traeré
D. JUAN.	Y yo otra igual cantidad.
LUCÍA.	No me faltéis.

D. JUAN. No, en verdad;
a las diez aquí estaré.
Adiós, pues, y en mí te fía.

LUCÍA.	Y en mí el garboso galán.
D. JUAN.	Adiós, pues, franca Lucía.
LUCÍA.	Adiós, pues, rico don Juan.

*(Lucía cierra la ventana. Ciutti se acerca
a don Juan, a una seña de éste)*

ESCENA XII

DON JUAN y CIUTTI

D. JUAN.   *(Riéndose.)*
Con oro nada hay que falle;
Ciutti, ya sabes mi intento:
a las nueve en el convento;
a las diez, en esta calle. *(Vanse.)*

FIN DEL ACTO SEGUNDO

ACTO TERCERO

Profanación

Personajes: DON JUAN, DOÑA INÉS, DON GONZALO,
BRÍGIDA, LA ABADESA, LA TORNERA

Celda de doña Inés. Puerta en el fondo y a la izquierda

ESCENA I

DOÑA INÉS y LA ABADESA

ABADESA.	¿Conque me habéis entendido?
D.ª INÉS.	Sí, señora.
ABADESA.	Está muy bien;

la voluntad decisiva
de vuestro padre tal es.
Sois joven, cándida y buena;
vivido en el claustro habéis
casi desde que nacisteis;
y para quedar en él
atada con santos votos
para siempre, ni aun tenéis,
como otras, pruebas difíciles
ni penitencias que hacer.
Dichosa mil veces vos;
dichosa, sí, doña Inés,
que, no conociendo el mundo,
no le debéis de temer.

¡Dichosa vos, que del claustro
al pisar en el dintel,
no os volveréis a mirar
lo que tras vos dejaréis!
Y los mundanos recuerdos
del bullicio y del placer
no os turbarán, tentadores,
del ara santa a los pies;
pues ignorando lo que hay
tras esa santa pared,
lo que tras ella se queda
jamás apeteceréis.
Mansa paloma, enseñada
en las palmas a comer
del dueño que la ha criado
en doméstico vergel,
no habiendo salido nunca
de la protectora red,
no ansiaréis nunca las alas
por el espacio tender.
Lirio gentil, cuyo tallo
mecieron sólo tal vez
las embalsamadas brisas
del más florecido mes,
aquí a los besos del aura
vuestro cáliz abriréis,
y aquí vendrán vuestras hojas
tranquilamente a caer.
Y en el pedazo de tierra
que abarca nuestra estrechez,
y en el pedazo de cielo
que por las rejas se ve,
vos no veréis más que un lecho
do en dulce sueño yacer,
y un velo azul suspendido
a las puertas del Edén...
¡Ay! En verdad que os envidio,
venturosa doña Inés,

con vuestra inocente vida,
la virtud del no saber.
Mas ¿por qué estáis cabizbaja?
¿Por qué no me respondéis
como otras veces, alegre,
cuando en lo mismo os hablé?
¿Suspiráis?... ¡Oh! Ya comprendo;
de vuelta aquí hasta no ver
a vuestra aya, estáis inquieta,
pero nada receléis.
A casa de vuestro padre
fue casi al anochecer,
y abajo en la portería
estará; ya os la enviaré,
que estoy de vela esta noche.
Conque, vamos, doña Inés,
recogeos, que ya es hora;
mal ejemplo no me deis
a las novicias, que ha tiempo
que duermen ya; hasta después.

D.ª INÉS.   Id con Dios, madre abadesa.
ABADESA.   Adiós, hija.

ESCENA II

DOÑA INÉS

D.ª INÉS.   Ya se fue.
No sé qué tengo, ¡ay de mí!,
que en tumultoso tropel
mil encontradas ideas
me combaten a la vez.
Otras noches, complacida,
sus palabras escuché,
y de esos cuadros tranquilos,
que sabe pintar tan bien,
de esos placeres domésticos
la dichosa sencillez

y la calma venturosa,
me hicieron apetecer
la soledad de los claustros
y su santa rigidez.
Mas hoy la oí distraída,
y en sus pláticas hallé,
si no enojosos discursos,
a lo menos aridez.
Y no sé por qué al decirme
que podría acontecer
que se acelerase el día
de mi profesión, temblé,
y sentí del corazón
acelerarse el vaivén,
y teñírseme el semblante
de amarilla palidez.
¡Ay de mí!... Pero mi dueña,
¿dónde estará?... Esa mujer,
con sus pláticas, al cabo,
me entretiene alguna vez.
Y hoy la echo menos... Acaso
porque la voy a perder;
que en profesando, es preciso
renunciar a cuanto amé.
Mas pasos siento en el claustro;
¡oh!, reconozco muy bien
sus pisadas... Ya está aquí.

ESCENA III

DOÑA INÉS y BRÍGIDA

BRÍGIDA.	Buenas noches, doña Inés.
D.ª INÉS.	¿Cómo habéis tardado tanto?
BRÍGIDA.	Voy a cerrar esta puerta.
D.ª INÉS.	Hay orden de que esté abierta.
BRÍGIDA.	Eso es muy bueno y muy santo para las otras novicias

que han de consagrarse a Dios;
no, doña Inés, para vos.

D.ª INÉS.   Brígida, ¿no ves que vicias
las reglas del monasterio,
que no permiten...?

BRÍGIDA.   ¡Bah! ¡Bah!
Más seguro así se está,
y así se habla sin misterio
ni estorbos. ¿Habéis mirado
el libro que os he traído?

D.ª INÉS.   ¡Ay, se me había olvidado!

BRÍGIDA.   Pues ¡me hace gracia el olvido!

D.ª INÉS.   ¡Como la madre abadesa
se entró aquí inmediatamente!

BRÍGIDA.   ¡Vieja más impertinente!

D.ª INÉS.   Pues ¿tanto el libro interesa?

BRÍGIDA.   ¡Vaya si interesa, y mucho!
Pues ¡quedó con poco afán
el infeliz!

D.ª INÉS.   ¿Quién?

BRÍGIDA.   Don Juan.

D.ª INÉS.   ¡Válgame el cielo! ¿Qué escucho?
¿Es don Juan quien me le envía?

BRÍGIDA.   Por supuesto.

D.ª INÉS.   ¡Oh! Yo no debo
tomarle.

BRÍGIDA.   ¡Pobre mancebo!
Desairarle así, sería
matarle.

D.ª INÉS.   ¿Qué estás diciendo?

BRÍGIDA.   Si ese Horario no tomáis,
tal pesadumbre le dais
que va a enfermar, lo estoy viendo.

D.ª INÉS.   ¡Ah! No, no; de esa manera
le tomaré.

BRÍGIDA.   Bien haréis.

D.ª INÉS.   ¡Y qué bonito es!

BRÍGIDA.   Ya veis;
quien quiere agradar, se esmera.

D.ª INÉS.   Con sus manecillas de oro.
                ¡Y cuidado que está prieto!
                A ver, a ver si completo
                contiene el rezo del coro.
                (Le abre y cae una carta de entre sus
                                        hojas)
                Mas ¿qué cayó?
BRÍGIDA.   Un papelito.
D.ª INÉS.   ¡Una carta!
BRÍGIDA.   Claro está;
                en esa carta os vendrá
                ofreciendo el regalito.
D.ª INÉS.   ¡Qué! ¿Será suyo el papel?
BRÍGIDA.   ¡Vaya que sois inocente!
                Pues que os feria, es consiguiente
                que la carta será de él.
D.ª INÉS.   ¡Ay Jesús!
BRÍGIDA.   ¿Qué es lo que os da?
D.ª INÉS.   Nada, Brígida, no es nada.
BRÍGIDA.   No, no; ¡si estáis inmutada!
                (Aparte.)
                Ya presa en la red está.
                ¿Se os pasa?
D.ª INÉS.   Sí.
BRÍGIDA.   Eso habrá sido
                cualquier mareíllo vano.
D.ª INÉS.   ¡Ay, se me abrasa la mano
                con que el papel he cogido!
BRÍGIDA.   Doña Inés, ¡válgame Dios!
                Jamás os he visto así;
                estáis trémula.
D.ª INÉS.   ¡Ay de mí!
BRÍGIDA.   ¿Qué es lo que pasa por vos?
D.ª INÉS.   No sé.... El campo de mi mente
                siento que cruzan perdidas
                mil sombras desconocidas
                que me inquietan vagamente,
                y ha tiempo al alma me dan
                con su agitación tortura.

BRÍGIDA.　　　¿Tiene alguna, por ventura,
　　　　　　　el semblante de don Juan?
D.ª INÉS.　　　No sé; desde que le vi,
　　　　　　　Brígida mía, y su nombre
　　　　　　　me dijiste, tengo a ese hombre
　　　　　　　siempre delante de mí.
　　　　　　　Por doquiera me distraigo
　　　　　　　con su agradable recuerdo,
　　　　　　　y si un instante le pierdo,
　　　　　　　en su recuerdo recaigo.
　　　　　　　No sé qué fascinación
　　　　　　　en mis sentidos ejerce,
　　　　　　　que siempre hacia él se me tuerce
　　　　　　　la mente y el corazón;
　　　　　　　y aquí, y en el oratorio,
　　　　　　　y en todas partes, advierto
　　　　　　　que el pensamiento divierto
　　　　　　　con la imagen de Tenorio.
BRÍGIDA.　　　¡Válgame Dios! Doña Inés,
　　　　　　　según lo vais explicando,
　　　　　　　tentaciones me van dando
　　　　　　　de creer que eso amor es.
D.ª INÉS.　　　¿Amor has dicho?
BRÍGIDA.　　　　　　　　　　　Sí, amor.
D.ª INÉS.　　　No, de ninguna manera.
BRÍGIDA.　　　Pues por amor lo entendiera
　　　　　　　el menos entendedor;
　　　　　　　mas vamos la carta a ver.
　　　　　　　¿En qué os paráis? ¿Un suspiro?
D.ª INÉS.　　　¡Ay! Que cuanto más la miro,
　　　　　　　menos me atrevo a leer.
　　　　　　　(Lee.)
　　　　　　　«Doña Inés del alma mía.»
　　　　　　　¡Virgen Santa, qué principio!
BRÍGIDA.　　　Vendrá en verso, y será un ripio
　　　　　　　que traerá la poesía.
　　　　　　　¡Vamos, seguid adelante!
D.ª INÉS.　　　*(Lee.)*
　　　　　　　«Luz de donde el sol la toma,

hermosísima paloma
privada de libertad;
si os dignáis por estas letras
pasar vuestros lindos ojos,
no los tornéis con enojos
sin concluir; acabad.»

BRÍGIDA. ¡Qué humildad y qué finura!
¿Dónde hay mayor rendimiento?
D.ª INÉS. Brígida, no sé qué siento.
BRÍGIDA. Seguid, seguid la lectura.
D.ª INÉS. *(Lee.)*

«Nuestros padres de consuno
nuestras bodas acordaron,
porque los cielos juntaron
los destinos de los dos;
y halagado desde entonces
con tan risueña esperanza,
mi alma, doña Inés, no alcanza
otro porvenir que vos.
De amor con ella en mi pecho,
brotó una chispa ligera,
que han convertido en hoguera
tiempo y afición tenaz.
Y esta llama, que en mí mismo
se alimenta, inextinguible,
cada día más terrible
va creciendo y más voraz.»

BRÍGIDA. Es claro; esperar le hicieron
en vuestro amor algún día,
y hondas raíces tenía
cuando a arrancársele fueron.
Seguid.
D.ª INÉS. *(Lee.)*

«En vano o apagarla
concurren tiempo y ausencia,
que, doblando su violencia,
no hoguera ya, volcán es.
Y yo, que en medio del cráter
desamparado batallo,

suspendido en él me hallo
entre mi tumba y mi Inés.»

BRÍGIDA.   ¿Lo veis, Inés? Si ese Horario
le despreciáis, al instante
le preparan el sudario.

D.ª INÉS.   Yo desfallezco.

BRÍGIDA.   Adelante.

D.ª INÉS.   *(Lee.)*

«Inés, alma de mi alma,
perpetuo imán de mi vida,
perla sin concha escondida
entre las algas del mar;
garza que nunca del nido
tender osastes el vuelo
al diáfano azul del cielo
para aprender a cruzar;
si es que a través de esos muros
el mundo apenada miras,
y por el mundo suspiras,
de libertad con afán,
acuérdate que al pie mismo
de esos muros que te guardan,
para salvarte te aguardan
los brazos de tu don Juan.»
(Representa.)
¿Qué es lo que me pasa, ¡cielo!,
que me estoy viendo morir?

BRÍGIDA.   *(Aparte.)*
Ya tragó todo el anzuelo.
Vamos, que está al concluir.

Dª INÉS.   *(Lee.)*
«Acuérdate de quien llora
al pie de tu celosía,
y allí le sorprende el día
y le halla la noche allí;
acuérdate de quien vive
sólo por ti, ¡vida mía!,
y que a tus pies volaría
si me llamaras a ti.»

BRÍGIDA.	¿Lo veis? Vendría.
D.ª INÉS.	¿Vendría?
BRÍGIDA.	A postrarse a vuestros pies.
D.ª INÉS.	¿Puede?
BRÍGIDA.	¡Oh, sí!
D.ª INÉS.	¡Virgen María!
BRÍGIDA.	Pero acabad, doña Inés.
D.ª INÉS.	*(Lee.)*

«Adiós, ¡oh luz de mis ojos!;
adiós, Inés de mi alma;
medita, por Dios, en calma
las palabras que aquí van;
y si odias esa clausura
que ser tu sepulcro debe,
manda, que a todo se atreve,
por tu hermosura, don Juan.»
(Representa doña Inés.)
¡Ay! ¿Qué filtro envenenado
me dan en este papel,
que el corazón desgarrado
me estoy sintiendo con él?
¿Qué sentimientos dormidos
son los que revela en mí;
qué impulsos jamás sentidos,
qué luz que hasta hoy nunca vi?
¿Qué es lo que engendra mi alma
tan nuevo y profundo afán?
¿Quién roba la dulce calma
de mi corazón?

BRÍGIDA.	Don Juan.
D.ª INÉS.	¡Don Juan dices!... ¿Conque ese hombre

me ha de seguir por doquier?
¿Sólo he de escuchar su nombre,
sólo su sombra he de ver?
¡Ah, bien dice! Juntó el cielo
los destinos de los dos,
y en mi alma engendró este anhelo
fatal.

BRÍGIDA.   ¡Silencio, por Dios!
                    (Se oyen dar las ánimas.)
D.ª INÉS.   ¿Qué?
BRÍGIDA.   Silencio.
D.ª INÉS.   Me estremeces.
BRÍGIDA.   ¿Oís, doña Inés, tocar?
D.ª INÉS.   Sí; lo mismo que otras veces,
              las ánimas oigo dar.
BRÍGIDA.   Pues no habléis de él.
D.ª INÉS.   ¡Cielo santo!
              ¿De quién?
BRÍGIDA.   ¿De quién ha de ser?
              De ese don Juan que amáis tanto,
              porque puede aparecer.
D.ª INÉS.   ¡Me amedrentas! ¿Puede ese hombre
              llegar hasta aquí?
BRÍGIDA.   Quizá,
              porque el eco de su nombre
              tal vez llega a donde está.
D.ª INÉS.   ¡Cielos! ¿Y podrá?...
BRÍGIDA.   ¡Quién sabe!
D.ª INÉS.   ¿Es un espíritu, pues?
BRÍGIDA.   No; mas si tiene una llave...
D.ª INÉS.   ¡Dios!
BRÍGIDA.   Silencio, doña Inés.
              ¿No oís pasos?
D.ª INÉS.   ¡Ay! Ahora
              nada oigo.
BRÍGIDA.   Las nueve dan.
              Suben..., se acercan..., señora...,
              ya está aquí.
D.ª INÉS.   ¿Quién?
BRÍGIDA.   ¡Don Juan!

ESCENA IV

Doña Inés, don Juan y Brígida

D.ª Inés.　　¿Qué es esto? ¿Sueño..., deliro?

D. Juan.　　¡Inés de mi corazón!

D.ª Inés.　　¿Es realidad lo que miro,
　　　　　　o es una fascinación?...
　　　　　　Tenedme..., apenas respiro...;
　　　　　　sombra..., ¡huye, por compasión!
　　　　　　¡Ay de mí!
　　　　　　(Desmáyase doña Inés, y don Juan la
　　　　　　sostiene. La carta de don Juan queda en
　　　　　　el suelo, abandonada por doña Inés al
　　　　　　　　　　　desmayarse)

Brígida.　　　　　　　La ha fascinado
　　　　　　vuestra repentina entrada,
　　　　　　y el pavor la ha trastornado.

D. Juan.　　Mejor; así nos ha ahorrado
　　　　　　la mitad de la jornada.
　　　　　　¡Ea! No desperdiciemos
　　　　　　el tiempo aquí en contemplarla,
　　　　　　si perdernos no queremos.
　　　　　　En los brazos a tomarla
　　　　　　voy, y cuanto antes, ganemos
　　　　　　ese claustro solitario.

Brígida.　　¡Oh! ¿Vais a sacarla así?

D. Juan.　　Necia, ¿piensas que rompí
　　　　　　la clausura, temerario,
　　　　　　para dejármela aquí?
　　　　　　Mi gente abajo me espera;
　　　　　　sígueme.

Brígida.　　　　　　¡Sin alma estoy!
　　　　　　¡Ay! Este hombre es una fiera;
　　　　　　nada le ataja ni altera...
　　　　　　Sí, sí, a su sombra me voy.

ESCENA V

LA ABADESA

ABADESA.   Jurara que había oído
por estos claustros andar;
hoy a doña Inés velar
algo más la he permitido,
y me temo... Mas no están
aquí. ¿Qué pudo ocurrir
a las dos para salir
de la celda? ¿Dónde irán?
¡Hola! Yo las ataré
corto para que no vuelvan
a enredar y me revuelvan
a las novicias...; sí, a fe.
Mas siento por allá afuera
pasos. ¿Quién es?

ESCENA VI

LA ABADESA y LA TORNERA

TORNERA.   Yo, señora.
ABADESA.   ¡Vos en el claustro a esta hora!
¿Qué es esto, hermana Tornera?
TORNERA.   Madre abadesa, os buscaba.
ABADESA.   ¿Qué hay? Decid.
TORNERA.   Un noble anciano
quiere hablaros.
ABADESA.   Es en vano.
TORNERA.   Dice que es de Calatrava
caballero; que sus fueros
le autorizan a este paso,
y que la urgencia del caso
le obliga al instante a veros.
ABADESA.   ¿Dijo su nombre?

TORNERA.   El señor
                don Gonzalo Ulloa.
ABADESA.   ¿Qué
                puede querer?... Ábrale,
                hermana; es comendador
                de la Orden, y derecho
                tiene en el claustro de entrada.

ESCENA VII

LA ABADESA y DON GONZALO *despues*

ABADESA.   ¿A una hora tan avanzada
                venir así? No sospecho
                qué pueda ser...; mas me place,
                pues no hallando a su hija aquí,
                la reprenderá, y así
                mirará otra vez lo que hace.

ESCENA VIII

LA ABADESA, DON GONZALO y LA TORNERA *a la puerta*

D. GONZALO.   Perdonad, madre abadesa,
                que en hora tal os moleste;
                mas para mí, asunto es éste
                que honra y vida me interesa.
ABADESA.   ¡Jesús!
D. GONZALO.   Oíd.
ABADESA.   Hablad, pues.
D. GONZALO.   Yo guardé hasta hoy un tesoro
                de más quilates que el oro,
                y ese tesoro es mi Inés.
ABADESA.   A propósito...
D. GONZALO.   Escuchad.
                Se me acaba de decir
                que han visto a su dueña ir

ha poco por la ciudad
hablando con el criado
de un don Juan, de tal renombre,
que no hay en la tierra otro hombre
tan audaz y tan malvado.
En tiempo atrás se pensó
con él a mi hija casar,
y hoy, que se la fui a negar,
robármela me juró;
que por el torpe doncel
ganada la dueña está,
no puedo dudarlo ya;
debo, pues, guardarme de él.
Y un día, una hora quizá
de imprevisión le bastara
para que mi honor manchara
ese hijo de Satanás.
He aquí mi inquietud cuál es;
por la dueña, en conclusión,
vengo; vos la profesión
abreviad de doña Inés.

ABADESA.   Sois padre, y es vuestra afán
muy justo, comendador;
mas ved que ofende a mi honor.

D. GONZALO.   No sabéis quién es don Juan.

ABADESA.   Aunque le pintáis tan malo,
yo os puedo decir de mí:
mientras Inés esté aquí,
segura está, don Gonzalo.

D. GONZALO.   Lo creo; mas las razones
abreviemos; entregadme
a esa dueña, y perdonadme
mis mundanas opiniones.
Si vos de vuestra virtud
me respondéis, yo me fundo
en que conozco del mundo
la insensata juventud.

ABADESA.   Se hará como lo exigís.
Hermana tornera, id, pues,

a buscar a doña Inés
y a su dueña. *(Vase la tornera.)*

D. GONZALO.   ¿Qué decís,
señora? O traición me ha hecho
mi memoria, o yo sé bien
que ésta es hora de que estén
ambas a dos en su lecho.

ABADESA.   Ha un punto sentí a las dos
salir de aquí, no sé a qué.

D. GONZALO.   ¡Ay! ¡Por qué tiemblo, no sé!,
mas ¡qué veo, santo Dios!
Un papel... Me lo decía
a voces mi mismo afán.
(Leyendo.)
«Doña Inés del alma mía...»
¡Y la firma de don Juan!
Ved..., ved..., esa prueba escrita.
Leed ahí... ¡Oh! Mientras vos
por ella rogáis a Dios,
viene el diablo y os la quita.

ESCENA IX

LA ABADESA, DON GONZALO y LA TORNERA

TORNERA.   Señora...

ABADESA.   ¿Qué?

TORNERA.   Vengo muerta.

D. GONZALO. Concluid.

TORNERA.   No acierto a hablar...
He visto a un hombre saltar
por las tapias de la huerta.

D. GONZALO. ¿Veis? ¡Corramos, ay de mí!

ABADESA.   ¿Dónde vais, Comendador?

D. GONZALO. ¡Imbécil! Tras de mi honor,
que os roban a vos de aquí.

FIN DEL ACTO TERCERO

ACTO CUARTO

El diablo a las puertas del cielo

Personajes: DON JUAN, DOÑA INÉS, DON GONZALO, DON LUIS, CIUTTI, BRÍGIDA, ALGUACILES 1.° y 2.°

Quinta de don Juan Tenorio, cerca de Sevilla y sobre el Guadalquivir. Balcón en el fondo. Dos puertas a cada lado

ESCENA I

BRÍGIDA y CIUTTI

BRÍGIDA.	¡Qué noche, válgame Dios! A poderlo calcular, no me meto yo a servir a tan fogoso galán. ¡Ay, Ciutti! Molida estoy; no me puedo menear.
CIUTTI.	Pues ¿qué os duele?
BRÍGIDA.	Todo el cuerpo y toda el alma además.
CIUTTI.	¡Ya! No estáis acostumbrada al caballo, es natural.
BRÍGIDA.	Mil veces pensé caer. ¡Uf! ¡Qué mareo! ¡Qué afán! Veía yo uno tras otros ante mis ojos pasar

los árboles como en alas
llevados de un huracán,
tan apriesa y produciéndome
ilusión tan infernal,
que perdiera los sentidos
si tardamos en parar.

CIUTTI. Pues de estas cosas veréis,
si en esta casa os quedáis,
lo menos seis por semana.

BRÍGIDA. ¡Jesús!

CIUTTI. ¿Y esa niña, está
reposando todavía?

BRÍGIDA. ¿Y a qué se ha de despertar?

CIUTTI. Sí; es mejor que abra los ojos
en los brazos de don Juan.

BRÍGIDA. Preciso es que tu amo tenga
algún diablo familiar.

CIUTTI. Yo creo que sea él mismo
un diablo en carne mortal,
porque a lo que él, solamente
se arrojara Satanás.

BRÍGIDA. ¡Oh! ¡El lance ha sido extremado!

CIUTTI. Pero al fin logrado está.

BRÍGIDA. ¡Salir así de un convento,
en medio de una ciudad
como Sevilla!

CIUTTI. Es empresa
tan sólo para hombre tal;
mas, ¡qué diablos!, ¡si a su lado
la fortuna siempre va,
y encadenado a sus pies
duerme sumiso el azar!

BRÍGIDA. Sí; decís bien.

CIUTTI. No he visto hombre
de corazón más audaz;
no halla riesgo que le espante,
ni encuentra dificultad
que, al empeñarse en vencer,
le haga un punto vacilar.

A todo osado se arroja;
de todo se ve capaz;
ni mira dónde se mete,
ni lo pregunta jamás.
«Allí hay un lance», le dicen;
y él dice: «Allá va don Juan.»
Mas ya tarda, ¡vive Dios!

BRÍGIDA.   Las doce en la catedral
han dado ha tiempo.

CIUTTI.   Y de vuelta.
debía a las doce estar.

BRÍGIDA.   Pero ¿por qué no se vino
con nosotros?

CIUTTI.   Tiene allá
en la ciudad todavía
cuatro cosas que arreglar.

BRÍGIDA.   ¿Para el viaje?

CIUTTI.   Por supuesto;
aunque muy fácil será
que esta noche a los infiernos
le hagan a él mismo viajar.

BRÍGIDA.   ¡Jesús, qe ideas!

CIUTTI.   Pues digo:
¿son obras de caridad
en las que nos empleamos
para mejor esperar?
Aunque seguros estamos,
como vuelva por acá.

BRÍGIDA.   ¿De veras, Ciutti?

CIUTTI.   Venid
a este balcón y mirad;
¿qué veis?

BRÍGIDA.   Veo un bergantín
que anclado en el río está.

CIUTTI.   Pues su patrón sólo aguarda
las órdenes de don Juan,
y salvos en todo caso
a Italia nos llevará.

BRÍGIDA.   ¿Cierto?

CIUTTI.	Y nada receléis
	por nuestra seguridad,
	que es el barco más velero
	que boga sobre la mar.
BRÍGIDA.	¡Chist! Ya siento a doña Inés...
CIUTTI.	Pues yo me voy, que don Juan
	encargó que sola vos
	debíais con ella hablar.
BRÍGIDA.	Y encargó bien, que yo entiendo
	de esto.
CIUTTI.	Adiós, pues.
BRÍGIDA.	Vete en paz.

ESCENA II

DOÑA INÉS y BRÍGIDA

D.ª INÉS.	¡Dios mío, cuanto he soñado!
	¡Loca estoy! ¿Qué hora será?
	Pero ¡qué es esto, ay de mí!
	No recuerdo que jamás
	haya visto este aposento.
	¿Quién me trajo aquí?
BRÍGIDA.	Don Juan.
D.ª INÉS.	Siempre don Juan...; pero di,
	¿aquí tú también estás,
	Brígida?
BRÍGIDA.	Sí, doña Inés.
D.ª INÉS.	Pero dime, en caridad,
	¿dónde estamos? ¿Este cuarto
	es del convento?
BRÍGIDA.	No tal;
	aquello era un cuchitril,
	en donde no había más
	que miseria.
D.ª INÉS.	Pero, en fin,
	¿en dónde estamos?
BRÍGIDA.	Mirad,
	mirad por este balcón,
	y alcanzaréis lo que va

desde un convento de monjas
a una quinta de don Juan.

D.ª INÉS.   ¿Es de don Juan esta quinta?
BRÍGIDA.   Y creo que vuestra ya.
D.ª INÉS.   Pero no comprendo, Brígida,
              lo que dices.

BRÍGIDA.   Escuchad.
Estabais en el convento
leyendo con mucho afán
una carta de don Juan,
cuando estalló en un momento
un incendio formidable.

D.ª INÉS.   ¡Jesús!
BRÍGIDA.   Espantoso, inmenso;
el humo era ya tan denso,
que el aire se hizo palpable.

D.ª INÉS.   Pues no recuerdo...
BRÍGIDA.   Las dos,
con la carta entretenidas,
olvidamos nuestras vidas,
yo oyendo, y leyendo vos.
Y estaba en verdad tan tierna,
que entrambas a su lectura
achacamos la tortura
que sentíamos interna.
Apenas ya respirar
podíamos, y las llamas
prendían en nuestras camas;
nos íbamos a asfixiar,
cuando don Juan, que os adora,
y que rondaba el convento,
al ver crecer con el viento
la llama devastadora,
con inaudito valor,
viendo que ibais a abrasaros,
se metió para salvaros
por donde pudo mejor.
Vos, al verle así asaltar
la celda tan de improviso,

os desmayasteis..., preciso,
la cosa era de esperar.
Y él, cuando os vio caer así,
en sus brazos os tomó
y echó a huir; yo le seguí,
y del fuego nos sacó.
¿Dónde íbamos a esta hora?
Vos seguíais desmayada;
yo estaba casi ahogada.
Dijo, pues: «Hasta la aurora
en mi casa la tendré.»
Y henos, doña Inés, aquí.

D.ª INÉS.   ¿Conque ésta es su casa?

BRÍGIDA.   Sí.

D.ª INÉS.   Pues nada recuerdo a fe.
Pero... ¡en su casa!... ¡Oh, al punto
salgamos de ella!... Yo tengo
la de mi padre.

BRÍGIDA.   Convengo
con vos; pero es el asunto...

D.ª INÉS.   ¿Qué?

BRÍGIDA.   Que no podemos ir.

D.ª INÉS.   Oír tal me maravilla.

BRÍGIDA.   Nos aparta de Sevilla

D.ª INÉS.   ¿Quién?

BRÍGIDA.   Vedlo, el Guadalquivir.

D.ª INÉS.   ¿No estamos en la ciudad?

BRÍGIDA.   A una legua nos hallamos
de sus murallas.

D.ª INÉS.   ¡Oh! ¡Estamos
perdidas!

BRÍGIDA.   ¡No sé, en verdad,
por qué!

D.ª INÉS.   Me estás confundiendo,
Brígida..., y no sé qué redes
son las que entre estas paredes
temo que me estás tendiendo.
Nunca el claustro abandoné,
ni sé del mundo exterior

los usos; mas tengo honor;
noble soy, Brígida, y sé
que la casa de don Juan
no es buen sitio para mí;
me lo está diciendo aquí
no sé qué escondido afán.
Ven, huyamos.

BRÍGIDA.   Doña Inés,
la existencia os ha salvado.

D.ª INÉS.   Sí, pero me ha envenenado
el corazón.

BRÍGIDA.   ¿Le amáis, pues?

D.ª INÉS.   No sé...; mas, por compasión,
huyamos pronto de ese hombre,
tras de cuyo solo nombre
se me escapa el corazón.
¡Ah! Tú me diste un papel,
de manos de ese hombre escrito,
y algún encanto maldito
me diste encerrado en él.
Una sola vez le vi
por entre unas celosías,
y que estaba, me decías,
en aquel sitio por mí.
Tú, Brígida, a todas horas,
me venías de él a hablar,
haciéndome recordar
sus gracias fascinadoras.
Tú me dijiste que estaba
para mío destinado
por mi padre, y me has jurado
en su nombre que me amaba.
¿Que le amo dices?... Pues bien,
si esto es amar, sí, le amo;
pero yo sé que me infamo
con esa pasión también.
Y si el débil corazón
se me va tras de don Juan,

                tirándome de él están
                mi honor y mi obligación.
                Vamos, pues; vamos de aquí,
                primero que ese hombre venga,
                pues fuerza acaso no tenga
                si le veo junto a mí.
                Vamos, Brígida.

BRÍGIDA.   Esperad.
                ¿No oís?

D.ª INÉS.   ¿Qué?

BRÍGIDA.   Ruido de remos.

D.ª INÉS.   Sí, dices bien; volveremos
                en un bote a la ciudad.

BRÍGIDA.   Mirad, mirad, doña Inés.

D.ª INÉS.   Acaba..., por Dios; partamos.

BRÍGIDA.   Ya, imposible que salgamos.

D.ª INÉS.   ¿Por qué razón?

BRÍGIDA.   Porque él es
                quien ese barquichuelo
                se adelanta por el río.

D.ª INÉS.   ¡Ay! ¡Dadme fuerzas, Dios mío!

BRÍGIDA.   Ya llegó; ya está en el suelo.
                Sus gentes nos volverán
                a casa; mas antes de irnos,
                es preciso despedirnos
                a lo menos de don Juan.

D.ª INÉS.   Sea, y vamos al instante
                No quiero volverle a ver.

BRÍGIDA.   *(Aparte.)*
                Los ojos te hará volver
                al encontrarte delante.
                Vamos.

D.ª INÉS.   Vamos.

CIUTTI.   *(Dentro.)*   Aquí están.

D. JUAN.   *(Dentro.)*
                Alumbra.

BRÍGIDA.   ¡Nos busca!

D.ª INÉS.   Él es.

ESCENA III

DICHOS y DON JUAN

D. JUAN.	¿Adónde vais, doña Inés?
D.ª INÉS.	Dejadme salir, don Juan.
D. JUAN.	¿Que os deje salir?
BRÍGIDA.	Señor,

sabiendo ya el accidente
del fuego, estará impaciente
por su hija el Comendador.

D. JUAN. ¡El fuego! ¡Ah! No os dé cuidado
por don Gonzalo, que ya
dormir tranquilo le hará
el mensaje que le he enviado.

D.ª INÉS. ¿Le habéis dicho...?

D. JUAN. Que os hallabais
bajo mi amparo segura,
y el aura del campo pura
libre por fin respirabais. *(Vase Brígida.)*
Cálmate, pues, vida mía;
reposa aquí, y un momento
olvida de tu convento
la triste cárcel sombría.
¡Ah! ¿No es cierto, ángel de amor,
que en esta apartada orilla
más pura la luna brilla
y se respira mejor?
Esta aura que vaga, llena
de los sencillos olores
de las campesinas flores
que brota esa orilla amena;
esa agua limpia y serena
que atraviesa sin temor
la barca del pescador
que espera cantando el día,
¿no es cierto, paloma mía,
que están respirando amor?

Esa armonía que el viento
recoge entre esos millares
de floridos olivares,
que agita con manso aliento;
ese dulcísimo acento
con que trina el ruiseñor,
de sus copas morador,
llamando al cercano día,
¿no es verdad, gacela mía,
que están respirando amor?
Y estas palabras que están
filtrando insensiblemente
tu corazón, ya pendiente
de los labios de don Juan,
y cuyas ideas van
inflamando en su interior
un fuego germinador
no encendido todavía,
¿no es verdad, estrella mía,
que están respirando amor?
Y esas dos líquidas perlas
que se desprenden tranquilas
de tus radiantes pupilas
convidándome a beberlas,
evaporarse a no verlas
de sí mismas al calor;
y ese encendido color
que en tu semblante no había,
¿no es verdad, hermosa mía,
que están respirando amor?
¡Oh! Sí, bellísima Inés,
espejo y luz de mis ojos;
escucharme sin enojos
como lo haces, amor es;
mira aquí a tus plantas, pues,
todo el altivo rigor
de este corazón traidor
que rendirse no creía,

adorando, vida mía,
la esclavitud de tu amor.

D.ª INÉS.   Callad, por Dios, ¡oh!, don Juan,
que no podré resistir
mucho tiempo, sin morir,
tan nunca sentido afán.
¡Ah! Callad, por compasión;
que, oyéndoos, me parece
que mi cerebro enloquece
y se arde mi corazón.
¡Ah! Me habéis dado a beber
un filtro infernal, sin duda,
que a rendiros os ayuda
la virtud de la mujer.
Tal vez poseéis, don Juan,
un misterioso amuleto,
que a vos me atrae en secreto
como irresistible imán.
Tal vez Satán puso en vos
su vista fascinadora,
su palabra seductora
y el amor que negó a Dios.
¿Y qué he de hacer, ¡ay de mí!,
sino caer en vuestros brazos,
si el corazón en pedazos
me vais robando de aquí?
No, don Juan; en poder mío
resistirte no está ya;
yo voy a ti, como va
sorbido al mar ese río.
Tu presencia me enajena,
tus palabras me alucinan,
y tus ojos me fascinan,
y tu aliento me envenena.
¡Don Juan! ¡Don Juan! Yo lo imploro
de tu hidalga compasión:
o arráncame el corazón,
o ámame, porque te adoro.

D. JUAN.

¡Alma mía! Esa palabra
cambia de modo mi ser,
que alcanzo que puede hacer
hasta que el Edén se me abra.
No es, doña Inés, Satanás
quien pone este amor en mí;
es Dios, que quiere por ti
ganarme para Él quizá.
No; el amor que hoy se atesora
en mi corazón mortal,
no es un amor terrenal
como el que sentí hasta ahora;
no es esa chispa fugaz
que cualquier ráfaga apaga;
es incendio que se traga
cuanto ve, inmenso, voraz.
Desecha, pues, tu inquietud,
bellísima doña Inés,
porque me siento a tus pies
capaz aun de la virtud.
Sí; iré mi orgullo a postrar
ante el buen Comendador,
y o habrá de darme tu amor,
o me tendrá que matar.

D.ª INÉS.

¡Don Juan de mi corazón!

D. JUAN.

¡Silencio! ¿Habéis escuchado?

D.ª INÉS.

¿Qué?

D. JUAN.

Sí; una barca ha atracado
debajo de este balcón.
Un hombre embozado de ella
salta... Brígida, al momento
(Entra Brígida.)
pasad a esotro aposento,
y perdonad, Inés bella,
si sólo me importa estar.

D.ª INÉS.

¿Tardarás?

D. JUAN.

Poco ha de ser.

D.ª INÉS.   A mi padre hemos de ver.
D. JUAN.   Sí, en cuanto empiece a clarear.
                   Adiós.

ESCENA IV

DON JUAN y CIUTTI

CIUTTI.   Señor.
D. JUAN.   ¿Qué sucede,
                   Ciutti?
CIUTTI.   Ahí está un embozado.
                   en veros muy empeñado.
D. JUAN.   ¿Quién es?
CIUTTI.   Dice que no puede
                   descubrirse más que a vos,
                   y que es cosa de tal priesa,
                   que en ella se os interesa
                   la vida a entrambos a dos.
D. JUAN.   ¿Y en él no has reconocido
                   marca ni señal alguna
                   que nos oriente?
CIUTTI.   Ninguna;
                   mas a veros decidido
                   viene.
D. JUAN.   ¿Trae gente?
CIUTTI.   No más
                   que los remeros del bote.
D. JUAN.   Que entre.

ESCENA V

DON JUAN. Luego CIUTTI y DON LUIS, embozado

D. JUAN.   ¡Jugamos a escote
                   la vida!... Mas si es quizá
                   un traidor que hasta mi quinta
                   me viene siguiendo el paso...

Hálleme, pues, por si acaso,
con las armas en la cinta
(Se ciñe la espada y suspende al cinto
un par de pistolas, que habrá colocado
sobre la mesa a su salida en la escena
tercera. Al momento sale Ciutti, condu-
ciendo a don Luis, que, embozado hasta
los ojos, espera a que se queden solos.
Don Juan hace a Ciutti una seña para
que se retire. Lo hace)

ESCENA VI

DON JUAN y DON LUIS

D. JUAN.   *(Aparte.)*
Buen talante. Bien venido,
caballero.

D. LUIS.   Bien hallado
señor mío.

D. JUAN.   Sin cuidado
hablad.

D. LUIS.   Jamás lo he tenido.

D. JUAN.   Decid, pues: ¿a qué venís
a esta hora y con tal afán?

D. LUIS.   Vengo a mataros, don Juan.

D. JUAN.   Según eso, ¿sois don Luis?

D. LUIS.   No os engañó el corazón,
y el tiempo no malgastemos,
don Juan; los dos no cabemos
ya en la tierra.

D. JUAN.   En conclusión,
señor Mejía: ¿es decir,
que, porque os gané la apuesta,
queréis que acabe la fiesta
con salirnos a batir?

D. LUIS.   Estáis puesto en la razón;
la vida apostado habemos,
y es fuerza que nos paguemos.

D. JUAN.   Soy de la misma opinión.
            Mas ved que os debo advertir
            que sois vos quien la ha perdido.

D. LUIS.   Pues por eso os la he traído;
            mas no creo que morir
            deba nunca un caballero
            que lleva en el cinto espada
            como una res destinada
            por su dueño al matadero.

D. JUAN.   Ni yo creo que resquicio
            habréis jamás encontrado
            por donde me hayáis tomado
            por un cortador de oficio.

D. LUIS.   De ningún modo; y ya veis
            que, pues os vengo a buscar,
            mucho en vos debo fiar.

D. JUAN.   No más de lo que podéis.
            Y por mostraros mejor
            mi generosa hidalguía,
            decid si aún puedo, Mejía,
            satisfacer vuestro honor.
            Leal la apuesta gané;
            mas si tanto os ha escocido,
            mirad si halláis conocido
            remedio, y le aplicaré.

D. LUIS.   No hay más que el que os he propuesto,
            don Juan, Me habéis maniatado
            y habéis la casa asaltado
            usurpándome mi puesto;
            y pues el mío tomasteis
            para triunfar de doña Ana,
            no. sois vos, don Juan, quien gana,
            porque por otro jugasteis.

D. JUAN.   Ardides del juego son.

D. LUIS.   Pues no os lo quiero pasar,
            y por ellos a jugar
            vamos ahora el corazón.

D. JUAN.   ¿Le arriesgáis, pues, en revancha
            de doña Ana de Pantoja?

D. Luis.	Sí, y lo que tardo me enoja
	en lavar tan fea mancha.
	Don Juan, yo la amaba, sí;
	mas con lo que habéis osado,
	imposible la hais dejado
	para vos y para mí.
D. Juan.	¿Por qué la apostasteis, pues?
D. Luis.	Porque no pude pensar
	que la pudierais lograr.
	Y... vamos, por San Andrés,
	a reñir, que me impaciento.
D. Juan.	Bajemos a la ribera.
D. Luis.	Aquí mismo.
D. Juan.	Necio fuera;
	¿no veis que en este aposento
	prendieran al vencedor?
	Vos traéis una barquilla.
D. Luis.	Sí.
D. Juan.	Pues que lleve a Sevilla
	al que quede.
D. Luis.	Eso es mejor;
	salgamos, pues.
D. Juan.	Esperad.
D. Luis.	¿Qué sucede?
D. Juan.	Ruido siento.
D. Luis.	Pues no perdamos momento.

ESCENA VII

Don Juan, don Luis y Ciutti

Ciutti.	Señor, la vida salvad.
D. Juan.	¿Qué hay, pues?
Ciutti.	El Comendador,
	que llega con gente armada.
D. Juan.	Déjale franca la entrada,
	pero a él solo.
Ciutti.	Mas señor...
D. Juan.	Obedéceme. *(Vase Ciutti.)*

ESCENA VIII

DON JUAN y DON LUIS

D. JUAN.   Don Luis,
pues de mí os habéis fiado,
como dejáis demostrado
cuando a mi casa venís,
no dudaré en suplicaros,
pues mi valor conocéis,
que un instante me aguardéis.

D. LUIS.   Yo nunca puse reparos
en valor que es tan notorio;
mas no me fío de vos.

D. JUAN.   Ved que las partes son dos
de la apuesta con Tenorio,
y que ganadas están.

D. LUIS.   ¡Lograsteis a un tiempo...!

D. JUAN.   Sí,
la del convento está aquí;
y pues viene de don Juan
a reclamarla quien puede,
cuando me podéis matar
no debo asunto dejar
tras mí que pendiente quede.

D. LUIS.   Pero mirad que meter
quien puede el lance impedir
entre los dos, puede ser...

D. JUAN.   ¿Qué?

D. LUIS.   Excusaros de reñir.

D. JUAN.   ¡Miserable!... De don Juan
podéis dudar sólo vos;
mas aquí entrad, vive Dios,
y no tengáis tanto afán
por vengaros, que este asunto
arreglado con ese hombre,
don Luis, yo os juro a mi nombre
que nos batimos al punto.

D. Luis.	Pero...
D. Juan.	¡Con una legión
	de diablos! Entrad aquí,
	que harta nobleza es en mí
	aun daros satisfacción.
	Desde ahí ved y escuchad;
	franca tenéis esa puerta;
	si veis mi conducta incierta,
	como os acomode obrad.
D. Luis.	Me avengo, si muy reacio
	no andáis.
D. Juan.	Calculadlo vos
	a placer; mas, vive Dios,
	que para todo hay espacio.
	(Entra don Luis en el cuarto que don
	Juan señala)
	Ya suben. *(Don Juan escucha.)*
D. Gonzalo.	*(Dentro.)* ¿Dónde está?
D. Juan.	Él es.

ESCENA IX

Don Juan y don Gonzalo

D. Gonzalo.	¿Adónde está ese traidor?
D. Juan.	Aquí está, Comendador.
D. Gonzalo.	¿De rodillas?
D. Juan.	Y a tus pies.
D. Gonzalo.	Vil eres hasta en tus crímenes.
D. Juan.	Anciano, la lengua ten,
	y escúchame un solo instante.
D. Gonzalo.	¿Qué puede en tu lengua haber
	que borre lo que tu mano
	escribió en este papel?
	¡Ir a sorprender, infame,
	la cándida sencillez
	de quien no pudo el veneno
	de esas letras precaver!

¡Derramar en su alma virgen
traidoramente la hiel
en que rebosa la tuya,
seca la virtud y fe!
¡Proponerse así enlodar
de mis timbres la alta prez,
como si fuera un harapo
que desecha un mercader!
¿Ése es el valor, Tenorio,
de que blasonas? ¿Ésa es
la proverbial osadía
que te da al vulgo a temer?
¿Con viejos y con doncellas
las muestras?... ¿Y para qué?
¡Vive Dios! Para venir
sus plantas así a lamer,
mostrándote a un tiempo ajeno
de valor y de honradez.

D. JUAN.   ¡Comendador!
D. GONZALO.   ¡Miserable!
Tú has robado a mi hija Inés
de su convento, y yo vengo
por tu vida o por mi bien.

D. JUAN.   Jamás delante de un hombre
mi alta cerviz incliné,
ni he suplicado jamás
ni a mi padre, ni a mi rey.
Y pues conservo a tus plantas
la postura en que me ves,
considera, don Gonzalo,
qué razón debo tener.

D. GONZALO. Lo que tienes es pavor
de mi justicia.
D. JUAN.   ¡Pardiez!
Óyeme, Comendador,
o tenerme no sabré,
y seré quien siempre he sido,
no queriéndolo ahora ser.

D. GONZALO.   ¡Vive Dios.
D. JUAN.   Comendador,
            yo idolatro a doña Inés,
            persuadido de que el cielo
            me la quiso conceder
            para enderezar mis pasos
            por el sendero del bien.
            No amé la hermosura en ella,
            ni sus gracias adoré;
            lo que adoro es la virtud,
            don Gonzalo, en doña Inés.
            Lo que justicias ni obispos
            no pudieron de mí hacer
            con cárceles y sermones,
            lo pudo su candidez.
            Su amor me torna en otro hombre,
            regenerando mi ser,
            y ella puede hacer un ángel
            de quien un demonio fue.
            Escucha, pues, don Gonzalo,
            lo que te puede ofrecer
            el audaz don Juan Tenorio
            de rodillas a tus pies.
            Yo seré esclavo de tu hija;
            en tu casa viviré;
            tu gobernarás mi hacienda
            diciéndome *esto ha de ser.*
            El tiempo que señalares,
            en reclusión estaré;
            cuantas pruebas exigieres
            de mi audacia o mi altivez,
            del modo que me ordenares,
            con sumisión te daré.
            Y cuando estime tu juicio
            que la pueda merecer,
            yo la daré un buen esposo,
            y ella me dará el edén.
D. GONZALO. Basta, don Juan; no sé cómo
            me he podido contener,

oyendo tan torpes pruebas
de tu infame avilantez.
Don Juan, tú eres un cobarde
cuando en la ocasión te ves,
y no hay bajeza a que no oses
como te saque con bien.

D. JUAN. ¡Don Gonzalo!

D. GONZALO.   Y me avergüenzo
de mirarte así a mis pies,
lo que apostabas por fuerza
suplicando por merced.

D. JUAN. Todo así se satisface,
don Gonzalo, de una vez.

D. GONZALO. ¡Nunca! ¡Nunca! ¿Tú su esposo?
Primero la mataré.
Ea, entregádmela al punto,
o, sin poderme valer,
en esa postura vil
el pecho te cruzaré.

D. JUAN. Míralo bien, don Gonzalo,
que vas a hacerme perder
con ella hasta la esperanza
de mi salvación tal vez.

D. GONZALO. ¿Y qué tengo yo, don Juan,
con tu salvación que ver?

D. JUAN. ¡Comendador, que me pierdes!

D. GONZALO. ¡Mi hija!

D. JUAN.   Considera bien
que por cuantos medios pude
te quise satisfacer,
y que con armas al cinto
tus denuestos toleré,
proponiéndote la paz
de rodillas a tus pies.

ESCENA X

DICHOS y DON LUIS, *soltando una carcajada de burla*

D. LUIS.   Muy bien, don Juan.
D. JUAN.   ¡Vive Dios!
D. GONZALO. ¿Quién es ese hombre?
D. LUIS.   Un testigo
de su miedo, y un amigo,
Comendador, para vos.
D. JUAN.   ¡Don Luis!
D. LUIS.   Ya he visto bastante,
don Juan, para conocer
cuál uso puedes hacer
de tu valor arrogante;
y quien hiere por detrás
y se humilla en la ocasión,
es tan vil como el ladrón
que roba y huye.
D. JUAN.   ¿Esto más?
D. LUIS.   Y pues la ira soberana
de Dios junta, como ves,
al padre de doña Inés
y al vengador de doña Ana,
mira el fin que aquí te espera
cuando a igual tiempo te alcanza
aquí dentro su venganza
y la justicia allá fuera.
D. GONZALO. ¡Oh! Ahora comprendo.... ¿Sois vos
el que...?
D. LUIS.   Soy don Luis Mejía,
a quien a tiempo os envía
por vuestra venganza Dios.
D. JUAN.   ¡Basta, pues, de tal suplicio!
Si con hacienda y honor
ni os muestro ni doy valor
a mi franco sacrificio,
y la leal solicitud

conque ofrezco cuanto puedo
tomáis, vive Dios, por miedo
y os mofáis de mi virtud,
os acepto el que me dais
plazo breve y perentorio,
para mostrarme el Tenorio
de cuyo valor dudáis.

D. LUIS. Sea, y cae a nuestros pies
digno al menos de esa fama,
que por tan bravo te aclama...

D. JUAN. Y venza el infierno, pues.
Ulloa, pues mi alma así
vuelves a hundir en el vicio,
cuando Dios me llame a juicio,
tú responderás por mí.

(Le da un pistoletazo.)

D. GONZALO. *(Cayendo.)*
¡Asesino!

D. JUAN.   Y tú, insensato,
que me llamas vil ladrón,
di en prueba de tu razón
que cara a cara te mato.

(Riñen, y le da una estocada.)

D. LUIS. *(Cayendo.)*
¡Jesús!

D. JUAN.   Tarde tu fe ciega
acude al cielo, Mejía,
y no fue por culpa mía;
pero la justicia llega,
y a fe que ha de ver quién soy.

CIUTTI. *(Dentro.)*
¡Don Juan!

D. JUAN. *(Asomándose al balcón.)*
¿Quién es?

CIUTTI. *(Dentro.)*   Por aquí;
salvaos.

D. JUAN.   ¿Hay paso?

CIUTTI.   Sí;
arrojaos.

D JUAN.   Allá voy.
                           Llamé al cielo, y no me oyó;
                           y pues sus puertas me cierra,
                           de mis pasos en la tierra
                           responda el cielo, no yo.
                           *(Se arroja por el balcón, y se le oye caer
                           en el agua del río, al mismo tiempo que
                           el ruido de los remos muestra la rapidez
                           del barco en que parte; se oyen golpes
                           en las puertas de la habitación; poco des-
                           pues entra la justicia, soldados, etc.)*

ESCENA XI

ALGUACILES, SOLDADOS. *Luego,* DOÑA INÉS *y* BRÍGIDA

ALGUACIL 1.° El tiro ha sonado aquí.
ALGUACIL 2.° Aún hay humo.
ALGUACIL 1.°   ¡Santo Dios!
             Aquí hay un cadáver.
ALGUACIL 2.°   Dos.
ALGUACIL 1.° ¿Y el matador?
ALGUACIL 2.°   Por allí.
             *(Abren el cuarto en que están doña Inés
             y Brígida, y las sacan a la escéna; doña
             Inés reconoce el cadáver de su padre)*
ALGUACIL 1.° ¡Dos mujeres!
D.ª INÉS.   ¡Ah! ¡Qué horror!
             ¡Padre mío!
ALGUACIL 1.°   ¡Es su hija!
BRÍGIDA.   Sí.
D.ª INÉS.   ¡Ay! ¿Do estás, don Juan, que aquí
             me olvidas en tal dolor?
ALGUACIL 1.° Él le asesinó.
D.ª INÉS.   ¡Dios mío!
             ¿Me guardabas esto más?
ALGUACIL 2.° Por aquí ese Satanás
             se arrojó sin duda al río.

ALGUACIL 1.º   Miradlos... A bordo están
               del bergantín calabrés.
TODOS.   Justicia por doña Inés.
D.ª INÉS.   Pero no contra don Juan.

*(Esta escena puede suprimirse en la representación,
terminando el acto con el último verso de la anterior.)*

FIN DEL ACTO CUARTO

SEGUNDA PARTE

ACTO PRIMERO

La sombra de doña Inés

Personajes: DON JUAN, EL CAPITÁN CENTELLAS, DON RAFAEL DE AVELLANEDA, UN ESCULTOR *y* LA SOMBRA DE DOÑA INÉS

Panteón de la familia Tenorio. El teatro representa un magnífico cementerio, hermoseado a manera de jardín. En primer término, aislados y de bulto, los sepulcros de don Gonzalo de Ulloa, de doña Inés y de don Luis Mejía, sobre los cuales se ven sus estatuas de piedra. El sepulcro de don Gonzalo, a la derecha, y su estatua de rodillas; el de don Luis, a la izquierda, y su estatua también de rodillas; el de doña Inés, en el centro, y su estatua de pie. En segundo término, otros dos sepulcros en la forma que convenga; y en tercer término, y en puesto elevado, el sepulcro y estatua del fundador, don Diego Tenorio, en cuya figura remata la perspectiva de los sepulcros. Una pared llena de nichos y lápidas circuye el cuadro hacia el horizonte. Dos flerones a cada lado de la tumba de doña Inés, dispuestos a servir de la manera que a su tiempo exige el juego escénico. Cipreses y flores de todas clases embellecen la decoración, que no debe tener nada de horrible. La acción se supone en una tranquila noche de verano y alumbrada por una clarísima luna

ESCENA I

EL ESCULTOR, *disponiéndose a marchar*

ESCULTOR.
Pues, señor, es cosa hecha;
el alma del buen don Diego
puede, a mi ver, con sosiego
reposar muy satisfecha.
La obra está rematada
con cuanta suntuosidad
su postrera voluntad
dejó al mundo encomendada.
Y ya quisieran, ¡pardiez!,
todos los ricos que mueren,
que su voluntad cumplieren
los vivos como esta vez.
Mas ya de marcharme es hora;
todo corriente lo dejo,
y de Sevilla me alejo
al despuntar de la aurora.
¡Ah! Mármoles que mis manos
pulieron con tanto afán,
mañana os contemplarán
los absortos sevillanos;
y al mirar de este panteón
las gigantes proporciones,
tendrán las generaciones
la nuestra en veneración.
Mas yendo y viniendo días,
se hundirán unas tras otras,
cuando en pie estaréis vosotras,
póstumas memorias mías,
¡Oh! Frutos de mis desvelos,
peñas a quien yo animé,
y por quienes arrostré
la intemperie de los cielos;
el que forma y ser os dio,
va ya a perderos de vista;

velad mi gloria de artista,
pues viveréis más que yo.
Mas ¿quién llega?

ESCENA II

El escultor *y* don Juan, *que entra embozado*

ESCULTOR.   Caballero...
D. JUAN.   Dios le guarde.
ESCULTOR.   Perdonad,
mas ya es tarde, y...
D. JUAN.   Aguardad
un instante, porque quiero
que me expliquéis...
ESCULTOR.   ¿Por acaso
sois forastero?
D. JUAN.   Años ha
que falto de España ya,
y me chocó el ver al paso,
cuando a esas verjas llegué,
que encontraba este recinto
enteramente distinto
de cuando yo le dejé.
ESCULTOR.   Ya lo creo; como que esto
era entonces un palacio,
y hoy es panteón el espacio
donde aquél estuvo puesto.
D. JUAN.   ¡El palacio hecho panteón!
ESCULTOR.   Tal fue de su antiguo dueño
la voluntad, y fue empeño
que dio al mundo admiración.
D. JUAN.   ¡Y, por Dios, que es de admirar!
ESCULTOR.   Es una famosa historia,
a la cual debo mi gloria.
D. JUAN.   ¿Me la podéis relatar?
ESCULTOR.   Sí; pero sucintamente,
pues me aguardan.

D. JUAN.   Sea.
ESCULTOR.   Oíd,
la verdad pura.
D. JUAN.   Decid,
que me tenéis impaciente.
ESCULTOR.   Pues habitó esta ciudad
y este palacio, heredado,
un varón muy estimado
por su noble calidad.
D. JUAN.   Don Diego Tenorio.
ESCULTOR.   El mismo.
Tuvo un hijo este don Diego,
peor mil veces que el fuego,
un aborto del abismo,
mozo sangriento y cruel,
que, con tierra y cielo en guerra,
dicen que nada en la tierra
fue respetado por él.
Quimerista seductor
y jugador con ventura,
no hubo para él segura
vida, ni hacienda, ni honor.
Así le pinta la historia;
y si tal era, por cierto
que obró cuerdamente el muerto
para ganarse la gloria.
D. JUAN.   Pues ¿cómo obró?
ESCULTOR.   Dejó entera
su hacienda al que la empleara
en panteón que asombrara
a la gente venidera.
Mas con la condición, dijo,
que se enterrara en él
los que a la mano cruel
sucumbieron de su hijo.
Y mirad en derredor
los sepulcros de los más
de ellos.

D. JUAN.   ¿Y vos sois quizá
                el conserje?
ESCULTOR.   El escultor
                de estas obras encargado.
D. JUAN.   ¡Ah! ¿Y las habéis concluido?
ESCULTOR.   Ha un mes; mas me he detenido
                hasta ver ese enverjado
                colocado en su lugar,
                pues he querido impedir
                que pueda el vulgo venir
                este sitio a profanar.
D. JUAN.   *(Mirando.)*
                Bien empleó sus riquezas
                el difunto.
ESCULTOR.   ¡Ya lo creo!
                Miradle allí.
D. JUAN.   Ya le veo.
ESCULTOR.   ¿Le conocisteis?
D. JUAN.   Sí.
ESCULTOR.   Piezas
                son todas muy parecidas,
                y a conciencia trabajadas.
D. JUAN.   ¡Cierto que son extremadas!
ESCULTOR.   ¿Os han sido conocidas
                las personas?
D. JUAN.   Todas ellas.
ESCULTOR.   ¿Y os parecen bien?
D. JUAN.   Sin duda,
                según lo que a ver me ayuda
                el fulgor de las estrellas.
ESCULTOR.   ¡Oh! Se ven como de día
                con esta luna tan clara,
                Ésta es de mármol Carrara.
                    (Señalando a la de don Luis.)
D. JUAN.   ¡Buen busto es el de Mejía!
                ¡Hola! Aquí el Comendador
                se representa muy bien.
ESCULTOR.   Yo quise poner también
                la estatua del matador

entre sus víctimas; pero
no pude a manos haber
su retrato. Un Lucifer
dicen que era el caballero
don Juan Tenorio.

D. JUAN.   ¡Muy malo!
Mas como pudiera hablar,
le había algo de abonar
la estatua de don Gonzalo.

ESCULTOR.   ¿También habéis conocido
a don Juan?

D. JUAN.   Mucho.

ESCULTOR.   Don Diego
le abandonó desde luego,
desheredándole.

D. JUAN.   Ha sido
para don Juan poco daño
ése, porque la fortuna
va tras él desde la cuna.

ESCULTOR.   Dicen que ha muerto.

D. JUAN.   Es engaño;
vive.

ESCULTOR.   ¿Y dónde?

D. JUAN.   Aquí, en Sevilla.

ESCULTOR.   ¿Y no teme que el furor
popular...?

D. JUAN.   En su valor
no ha echado el miedo semilla.

ESCULTOR.   Mas cuando vea el lugar
en que está ya convertido
el solar que suyo ha sido,
no osará en Sevilla estar.

D. JUAN.   Antes ver tendrá a fortuna
en su casa reunidas
personas de él conocidas,
puesto que no odia a ninguna.

ESCULTOR.   ¿Creéis que ose aquí venir?

D. JUAN.   ¿Por qué no? Pienso, a mi ver,
que donde vino a nacer

justo es que venga a morir.
Y pues le quitan su herencia
para enterrar a éstos bien,
a él es muy justo también
que le entierren con decencia.

ESCULTOR. Sólo a él le está prohibida
en este panteón la entrada.

D. JUAN. Trae don Juan muy buena espada,
y no sé quién se lo impida.

ESCULTOR. ¡Jesús! ¡Tal profanación!

D. JUAN. Hombre es don Juan que, a querer,
volverá el palacio a hacer
encima del panteón.

ESCULTOR. ¿Tan audaz ese hombre es
que aun a los muertos se atreve?

D. JUAN. ¿Qué respetos gastar debe
con los que tendió a sus pies?

ESCULTOR. Pero ¿no tiene conciencia
ni alma ese hombre?

D. JUAN.   Tal vez no,
que al cielo una vez llamó
con voces de penitencia,
y el cielo, en trance tan fuerte,
allí mismo le metió,
que a dos inocentes dio,
para salvarse, la muerte.

ESCULTOR. ¡Qué monstruo, supremo Dios!

D. JUAN. Podéis estar convencido
de que Dios no le ha querido.

ESCULTOR. Tal será.

D. JUAN.   Mejor que vos.

ESCULTOR. *(Aparte.)*
¿Y quién será el que a don Juan
abona con tanto brío?
Caballero, a pesar mío,
como aguardándome están...

D. JUAN. Idos, pues, en hora buena.

ESCULTOR. He de cerrar.

D. JUAN.   No cerréis
y marchaos.

ESCULTOR.   Mas ¿no veis...?

D. JUAN.   Veo una noche serena,
y un lugar que me acomoda
para gozar su frescura,
y aquí he de estar a mi holgura,
si pesa a Sevilla toda.

ESCULTOR.   *(Aparte.)*
¿Si acaso padecerá
de locura, desvaríos?

D. JUAN.   *(Dirigiéndose a las estatuas.)*
Ya estoy aquí, amigos míos.

ESCULTOR.   ¿No lo dije? Loco está.

D. JUAN.   Mas, ¡cielos!, ¿qué es lo que veo?
¡O es ilusión de mi vista,
o a doña Inés el artista
aquí representa, creo!

ESCULTOR.   Sin duda.

D. JUAN.   ¿También murió?

ESCULTOR.   Dicen que de sentimiento
cuando de nuevo al convento
abandonada volvió
por don Juan.

D. JUAN.   ¿Y yace aquí?

ESCULTOR.   Sí.

D. JUAN.   ¿La visteis muerta vos?

ESCULTOR.   Sí.

D. JUAN.   ¿Cómo estaba?

ESCULTOR.   ¡Por Dios,
que dormida la creí!
La muerte fue tan piadosa
con su cándida hermosura,
que le envió la frescura
y las tintas de la rosa.

D. JUAN.   ¡Ah! Mal la muerte podría
deshacer con torpe mano
el semblante soberano
que un ángel envidiaría.

	¡Cuán bella y cuán parecida
	su efigie en el mármol es!
	¡Quién pudiera, doña Inés,
	volver a darte la vida!
	¿Es obra del cincel vuestro?
ESCULTOR.	Como todas las demás.
D. JUAN.	Pues bien merece algo más
	un retrato tan maestro.
	Tomad.
ESCULTOR.	¿Qué me dais aquí?
D. JUAN.	¿No lo veis?
ESCULTOR.	Mas..., caballero...,
	¿por qué razón?...
D. JUAN.	Porque quiero
	yo que os acordéis de mí.
ESCULTOR.	Mirad que están bien pagadas.
D. JUAN.	Así lo estarán mejor.
ESCULTOR.	Mas vamos de aquí, señor,
	que aún las llaves entregadas
	no están, y al salir la aurora
	tengo que partir de aquí.
D. JUAN.	Entregádmelas a mí,
	y marchaos desde ahora.
ESCULTOR.	¿A vos?
D. JUAN.	A mí; ¿qué dudáis?
ESCULTOR.	Como no tengo el honor...
D. JUAN.	Ea, acabad, escultor.
ESCULTOR.	Si el nombre al menos que usáis
	supiera...
D. JUAN.	¡Viven los cielos!
	Dejad a don Juan Tenorio
	velar el lecho mortuorio
	en que duermen sus abuelos.
ESCULTOR.	¡Don Juan Tenorio!
D. JUAN.	Yo soy.
	Y si no me satisfaces,
	compañía juro que haces
	a tus estatuas desde hoy.

ESCULTOR.　　*(Alargándole las llaves.)*
Tomad. *(Aparte.)* No quiero la piel
dejar aquí entre sus manos.
Ahora, que los sevillanos
se las compongan con él. *(Vase.)*

ESCENA III

DON JUAN

D. JUAN.　　Mi buen padre empleó en esto
entera la hacienda mía;
hizo bien; yo al otro día
la hubiera a una carta puesto. *(Pausa.)*
No os podréis quejar de mí,
vosotros a quien maté;
si buena vida os quité,
buena sepultura os di.
¡Magnífica es en verdad
la idea del tal panteón!
Y... siento que al corazón
me halaga esta soledad.
¡Hermosa noche!... ¡Ay de mí!
¡Cuántas como ésta tan puras
desatinado perdí!
¡Cuántas al mismo fulgor
de esa luna transparente
arranqué a algún inocente
la existencia o el honor!
Sí; después de tantos años
cuyos recuerdos espantan,
siento que aquí se levantan
　　　　　　　(Señalando a la frente.)
pensamientos en mí extraños.
¡Oh! Acaso me los inspira
desde el cielo, en donde mora,
esa sombra protectora
que por mi mal no respira.

*(Se dirige a la estatua de doña Inés,
hablándole con respeto)*

Mármol en quien doña Inés
en cuerpo sin alma existe,
deja que el alma de un triste
llore un momento a tus pies.
De azares mil a través
conservé tu imagen pura;
y pues la mala ventura
te asesinó de don Juan,
contempla con cuánto afán
vendrá hoy a tu sepultura.
En ti nada más pensó
desde que se fue de ti,
y desde que huyó de aquí
sólo en volver meditó.
Don Juan tan sólo esperó
de doña Inés su ventura,
y hoy que en pos de su hermosura
vuelve el infeliz don Juan,
mira cuál será su afán
al dar con tu sepultura.
Inocente doña Inés,
cuya hermosa juventud
encerró en el ataúd
quien llorando está a tus pies;
si de esa piedra a través
puedes mirar la amargura
del alma que tu hermosura
adoró con tanto afán,
prepara un lado a don Juan
en tu misma sepultura.
Dios te crió por mi bien,
por ti pensé en la virtud,
adoré su excelsitud
y anhelé su santo edén.
Sí; aun hoy mismo en ti también
mi esperanza se asegura,
y oigo una voz que murmura

en derredor de don Juan
palabras que con su afán
se calma en la sepultura.
¡Oh doña Inés de mi vida!
Si esa voz con quien deliro
es el postrimer suspiro
de tu eterna despedida;
si es que de ti desprendida
llega esa voz a la altura,
y hay un Dios tras de esa anchura
por donde los astros van,
dile que mire a don Juan
llorando en tu sepultura.

*(Se apoya en el sepulcro, ocultando el
rostro; y mientras se conserva en esta
postura, un vapor que se levanta del sepulcro oculta la estatua de doña Inés.
Cuando el vapor se desvanece, la estatua
ha desaparecido. Don Juan sale de su
enajenamiento)*

Este mármol sepulcral
adormece mi vigor,
y sentir creo en redor
un ser sobrenatural.
Mas... ¡cielos! ¡El pedestal
no mantiene su escultura!
¿Qué es esto? ¿Aquella figura
fue creación de mi afán?

ESCENA IV

DON JUAN y LA SOMBRA DE DOÑA INÉS. *El florón y las
flores de la izquierda del sepulcro de doña Inés se cam-
bian en una apariencia, dejando ver dentro de ella, y en
medio de resplandores, la sombra de doña Inés*

SOMBRA.   No; mi espíritu, don Juan,
               te aguardó en mi sepultura.

D. JUAN.   *(De rodillas.)*
                  ¡Doña Inés, sombra querida,
                  alma de mi corazón,
                  no me quites la razón
                  si me has de dejar la vida!
                  Si eres imagen fingida,
                  sólo hija de mi locura,
                  no aumentes mi desventura
                  burlando mi loco afán.
SOMBRA.   Yo soy doña Inés, don Juan,
                  que te oyó en su sepultura.
D. JUAN.   ¿Conque vives?
SOMBRA.   Para ti;
                  mas tengo mi purgatorio
                  en ese mármol mortuorio
                  que labraron para mí.
                  Yo a Dios mi alma ofrecí
                  en precio de tu alma impura,
                  y Dios, al ver la ternura
                  con que te amaba mi afán,
                  me dijo: «Espera a don Juan
                  en tu misma sepultura.
                  Y pues quieres ser tan fiel
                  a un amor de Satanás,
                  con don Juan te salvarás,
                  o te perderás con él.
                  Por él vela; mas si cruel
                  te desprecia tu ternura,
                  y en su torpeza y locura
                  sigue con bárbaro afán,
                  llévese tu alma don Juan
                  de tu misma sepultura.»
D. JUAN.   *(Fascinado.)*
                  ¡Yo estoy soñando quizá
                  con las sombras de un Edén!
SOMBRA.   No, y ve que si piensas bien,
                  a tu lado me tendrás;
                  mas si obras mal, causarás
                  nuestra eterna desventura.

Y medita con cordura
que es esta noche, don Juan,
el espacio que nos dan
para buscar sepultura.
Adiós, pues; y en la ardua lucha
en que va a entrar tu existencia,
de tu dormida conciencia
la voz que va a alzarse escucha;
porque es de importancia mucha
meditar con sumo tiento
la elección de aquel momento
que, sin poder evadirnos,
al mal o al bien ha de abrirnos
la losa del monumento.
(Ciérrase la apariencia; desaparece doña
Inés, y todo queda como al principio del
acto, menos la estatua de doña Inés, que
no vuelve a su lugar. Don Juan queda
atónito)

ESCENA V

DON JUAN

D. JUAN.   ¡Cielos! ¿Qué es lo que escuché?
                ¡Hasta los muertos así
                dejan sus tumbas por mí!
                Mas..., sombra, delirio fue.
                Yo en mi mente lo forjé;
                la imaginación le dio
                la forma en que se mostró,
                y ciego, vine a creer
                en la realidad de un ser
                que mi mente fabricó.
                Mas nunca de modo tal
                fanatizó mi razón
                mi loca imaginación
                con su poder ideal.

Sí; algo sobrenatural
vi en aquella doña Inés
tan vaporosa, a través
aun de esa enramada espesa;
mas... ¡bah! Circunstancia es ésa
que propia de sombra es.
¿Qué más diáfano y sutil
que las quimeras de un sueño?
¿Dónde hay nada más risueño,
más flexible y más gentil?
¿Y no pasa veces mil
que, en febril exaltación,
ve nuestra imaginación
como ser y realidad
la vacía vanidad
de una anhelada ilusión?
Sí, por Dios, ¡delirio fue!
Mas su estatua estaba aquí.
Sí, yo la vi y la toqué,
y aun en albricias le di
al escultor no se qué.
¡Y ahora, sólo el pedestal
veo la urna funeral!
¡Cielos! ¿La mente me falta,
o de improviso me asalta
algún vértigo infernal?
¿Qué dijo aquella visión?
¡Oh! Yo la oí claramente,
y su voz, triste y doliente,
resonó en mi corazón.
¡Ah! ¡Y breves las horas son
del plazo que nos augura!
¡No, no; de mi calentura
delirio insensato es!
Mi fiebre fue a doña Inés
quien abrió la sepultura.
¡Pasad y desvaneceos;
pasad, siniestros vapores

de mis perdidos amores,
de mis fallidos deseos!
¡Pasad, vanos devaneos
de un amor muerto al nacer;
no me volváis a traer
entre vuestro torbellino
ese fantasma divino
que recuerda a una mujer!
¡Ah! ¡Estos sueños me aniquilan;
mi cerebro se enloquece...,
y esos mármoles parece
que estremecidos vacilan!
(Las estatuas se mueven lentamente,
        vuelven la cabeza hacia él)
¡Sí, sí; sus bustos oscilan,
su vago contorno medra!...
Pero don Juan no se arredra:
¡alzaos, fantasmas vanos,
y os volveré con mis manos
a vuestros lechos de piedra!
No, no me causan pavor
vuestros semblantes esquivos;
jamás, ni muertos ni vivos,
humillaréis mi valor.
Yo soy vuestro matador,
como al mundo es bien notorio;
si en vuestro alcázar mortuorio
me aprestáis venganza fiera,
daos prisa, que aquí os espera
otra vez don Juan Tenorio.

ESCENA VI

DON JUAN, EL CAPITÁN CENTELLAS y AVELLANEDA

CENTELLAS.   *(Dentro.)*
                ¿Don Juan Tenorio?
D. JUAN.   *(Volviendo en sí.)* ¿Qué es eso?
                ¿Quién me repite mi nombre?

AVELLANEDA.   (*Saliendo.*)
               ¿Veis a alguien? (*A Centellas.*)
CENTELLAS.   (*Saliendo.*)   Sí; allí hay un hombre.
D. JUAN.   ¿Quién va?
AVELLANEDA.   Él es.
CENTELLAS.   (*Yéndose a don Juan.*)
                             Yo pierdo el seso
               con la alegría. ¡Don Juan!
AVELLANEDA.   ¡Señor Tenorio!
D. JUAN.   ¡Apartaos,
               vanas sombras!
CENTELLAS.   Reportaos,
               señor don Juan... Los que están
               en vuestra presencia ahora
               no son sombras, hombres son,
               y hombres cuyo corazón
               vuestra amistad atesora.
               A la luz de las estrellas
               os hemos reconocido,
               y un abrazo hemos venido
               a daros.
D. JUAN.   Gracias, Centellas.
CENTELLAS.   Mas ¿qué tenéis? Por mi vida
               que os tiembla el brazo, y está
               vuestra faz descolorida.
D. JUAN.   (*Recobrando su aplomo.*)
               La luna tal vez lo hará.
AVELLANEDA.   Mas, don Juan, ¿qué hacéis aquí?
               ¿Este sitio conocéis?
D. JUAN.   ¿No es un panteón?
CENTELLAS.   ¿Y sabéis
               a quién pertenece?
D. JUAN.   A mí;
               mirad a mi alrededor,
               y no veréis más que amigos
               de mi niñez, o testigos
               de mi audacia y mi valor.
CENTELLAS.   Pero os oímos hablar:
               ¿con quién estabais?

D. JUAN.   Con ellos.
CENTELLAS.   ¿Venís aún a escarnecellos?
D. JUAN.   No; los vengo a visitar.
              Mas un vértigo insensato
              que la mente me asaltó
              un momento me turbó,
              y a fe que me dio un mal rato.
              Esos fantasmas de piedra
              me amenazaban tan fieros,
              que a mí acercado no haberos
              pronto...
CENTELLAS.   ¡Ja, ja, ja! ¿Os arredra,
              don Juan, como a los villanos,
              el temor a los difuntos?
D. JUAN.   No a fe; contra todos juntos
              tengo aliento y tengo manos.
              Si volvieran a salir
              de las tumbas en que están,
              a las manos de don Juan
              volverían a morir.
              Y desde aquí en adelante
              sabed, señor Capitán,
              que yo soy siempre don Juan,
              y no hay cosa que me espante.
              Un vapor calenturiento
              un punto me fascinó,
              Centellas, mas ya pasó;
              cualquiera duda un momento.
AVELLANEDA. ⎫
             ⎬ Es verdad.
CENTELLAS. ⎭
D. JUAN.   Vamos de aquí.
CENTELLAS.   Vamos, y nos contaréis
              cómo a Sevilla volvéis
              tercera vez.
D. JUAN.   Lo haré así.
              Si mi historia os interesa,
              a fe que oírse merece,

aunque mejor me parece
que la oigáis de sobremesa.
¿No opináis?...

AVELLANEDA.
CENTELLAS. \qquad Como gustéis.

D. JUAN.   Pues bien, cenaréis conmigo,
y en mi casa.

CENTELLAS.   \qquad Pero digo:
¿es cosa de que dejéis
algún huésped por nosotros?
¿No tenéis gato encerrado?

D. JUAN.   ¡Bah! Si apenas he llegado;
no habrá allí más que vosotros
esta noche.

CENTELLAS.   \qquad ¿Y no hay tapada
a quien algún plantón demos?

D. JUAN.   Los tres solos cenaremos.
Digo, si de esta jornada
no quiere igualmente ser
alguno de éstos.

(Señalando a las estatuas de los sepul-
cros)

CENTELLAS.   \qquad Don Juan,
dejad tranquilos yacer
a los que con Dios están.

D. JUAN.   ¡Hola! ¿Parece que vos
sois ahora el que teméis,
y mala cara ponéis
a los muertos? ¡Mas, por Dios,
que ya de mí os burlasteis
cuando me visteis así,
en lo que penda de mí
os mostraré cuánto errasteis!
Por mí, pues, no ha de quedar
y, a poder ser, estad ciertos
que cenaréis con los muertos,
y os los voy a convidar.

AVELLANEDA.   Dejaos de esas quimeras.

D. JUAN.   ¿Duda en mi valor ponerme,
                cuando hombre soy para hacerme
                platos de sus calaveras?
                Yo a nada tengo pavor:
                (Dirigiéndose a la estatua de don Gon-
                    zalo, que es la que tiene más cerca)
                tú eres el más ofendido;
                mas, si quieres, te convido
                a cenar, Comendador.
                Que no lo puedes hacer
                creo, y es lo que me pesa;
                mas, por mi parte, en la mesa
                te haré un cubierto poner.
                Y a fe que favor me harás,
                pues podré saber de ti
                si hay más mundo que el de aquí
                y otra vida, en que jamás,
                a decir verdad, creí.
CENTELLAS.   Don Juan, eso no es valor;
                locura, delirio es.
D. JUAN.   Como lo juzguéis mejor;
                yo cumplo así. Vamos, pues.
                Lo dicho, Comendador.

                    FIN DEL ACTO PRIMERO

ACTO SEGUNDO

La estatua de don Gonzalo

Personajes: DON JUAN, CENTELLAS, AVELLANEDA, CIUTTI,
LA SOMBRA DE DOÑA INÉS *y* LA ESTATUA DE DON GONZALO

Aposento de don Juan Tenorio. Dos puertas en el fondo a derecha e izquierda, preparadas para el juego escénico del acto. Otra puerta en el bastidor que cierra la decoración por la izquierda. Ventana en el de la derecha. Al alzarse el telón, están sentados a la mesa don Juan, Centellas y Avellaneda. La mesa, ricamente servida; el mantel, cogido con guirnaldas de flores, etc. Enfrente del espectador, don Juan, y a su izquierda, Avellaneda; en el lado izquierdo de la mesa, Centellas, y en el de enfrente de éste, una silla y un cubierto desocupados

ESCENA I

DON JUAN, EL CAPITÁN CENTELLAS, AVELLANEDA, CIUTTI
y UN PAJE

D. JUAN.   Tal es mi historia, señores;
            pagado de mi valor,
            quiso el mismo Emperador
            dispensarme sus favores.

	Y aunque oyó mi historia entera,
	dijo: «Hombre de tanto brío
	merece el amparo mío;
	vuelva a España cuando quiera»;
	y heme aquí en Sevilla ya.
CENTELLAS.	¡Y con qué lujo y riqueza!
D. JUAN.	Siempre vive con grandeza
	quien hecho a grandeza está
CENTELLAS.	A vuestra vuelta.
D. JUAN.	Bebamos.
CENTELLAS.	Lo que no acierto a creer
	es cómo, llegando ayer,
	ya establecido os hallamos.
D. JUAN.	Fue el adquirirme, señores,
	tal casa con tal boato,
	porque se vendió barato,
	para pago de acreedores.
	Y como al llegar aquí
	desheredado me hallé,
	tal como está la compré.
CENTELLAS.	¿Amueblada y todo?
D. JUAN.	Sí;
	un necio que se arruinó
	por una mujer vendióla.
CENTELLAS.	¿Y vendió la hacienda sola?
D. JUAN.	Y el alma al diablo.
CENTELLAS.	¿Murió?
D. JUAN.	De repente; y la justicia,
	que iba a hacer de cualquier modo
	pronto despacho de todo,
	viendo que yo su codicia
	saciaba, pues los dineros
	ofrecía dar al punto,
	cedióme el caudal por junto
	y estafó a los usureros.
CENTELLAS.	Y la mujer, ¿qué fue de ella?
D. JUAN.	Un escribano la pista
	le siguió, pero fue lista
	y escapó.

CENTELLAS.   ¿Moza?
D. JUAN.   Y muy bella.
CENTELLAS.   Entrar hubiera debido
               en los muebles de la casa.
D. JUAN.   Don Juan Tenorio no pasa
               moneda que se ha perdido.
               Casa y bodega he comprado;
               dos cosas que, no os asombre,
               pueden bien hacer a un hombre
               vivir siempre acompañado;
               como lo puede mostrar
               vuestra agradable presencia,
               que espero que con frecuencia
               me hagáis ambos disfrutar.
CENTELLAS.   Y nos haréis honra inmensa.
D. JUAN.   Y a mí vos. ¡Ciutti!
CIUTTI.   Señor.
D. JUAN.   Pon vino al Comendador.
               (Señalando al vaso del puesto vacío.)
CENTELLAS.   Don Juan, ¿aún en eso piensa
               vuestra locura?
D. JUAN.   ¡Si, a fe!
               Que si él no puede venir,
               de mí no podréis decir
               que en ausencia no le honré.
CENTELLAS.   ¡Ja, ja, ja! Señor Tenorio,
               creo que vuestra cabeza
               va menguando en fortaleza.
D. JUAN.   Fuera en mí contradictorio
               y ajeno de mi hidalguía
               a un amigo convidar,
               y no guardar el lugar
               mientras que llegar podría.
               Tal ha sido mi costumbre
               siempre, y siempre ha de ser ésa;
               y al mirar sin él la mesa,
               me da, en verdad, pesadumbre.
               Porque si el Comendador
               es difunto tan tenaz

	como vivo, es muy capaz de seguirnos el humor.
CENTELLAS.	Brindemos a su memoria, y más en él no pensemos.
D. JUAN.	Sea.
CENTELLAS.	Brindemos.
AVELLANEDA.	Brindemos.
CENTELLAS.	A que Dios le dé su gloria.
D. JUAN.	Mas yo, que no creo que haya más gloria que esta mortal, no hago mucho en brindis tal; ¡mas por complaceros, vaya! Y brindo a que Dios te dé la gloria, Comendador. *(Mientras beben, se oye lejos un aldabonazo, que se supone dado en la puerta de la calle)* Mas ¿llamaron?
CIUTTI.	Sí, señor.
D. JUAN.	Ve quién.
CIUTTI.	*(Asomando por la ventana.)* A nadie se ve. ¿Quién va allá? Nadie responde.
CENTELLAS.	Algún chusco.
AVELLANEDA.	Algún menguado que al pasar habrá llamado, sin mirar siquiera dónde.
D. JUAN.	*(A Ciutti.)* Pues cierra y sirve licor. *(Llamando otra vez más recio.)* Mas llamaron otra vez.
CIUTTI.	Sí.
D. JUAN.	Vuelve a mirar.
CIUTTI.	¡Pardiez! A nadie veo, señor.
D. JUAN	Pues, por Dios, que del bromazo quien es no se ha de alabar.

Ciutti, si vuelve a llamar,
suéltale un pistoletazo.
*(Llaman otra vez, y se oye un poco más
cerca)*
¿Otra vez?

CIUTTI.   ¡Cielos!

CENTELLAS. }
AVELLANEDA. }   ¿Qué pasa?

CIUTTI.   Que esa aldabada postrera
ha sonado en la escalera,
no en la puerta de la casa.

AVELLANEDA. }
CENTELLAS. } ¿Qué dices? *(Levantándose asombrados.)*

CIUTTI.   Digo lo cierto,
nada más; dentro han llamado
de la casa.

D. JUAN.   ¿Qué os ha dado?
¿Pensáis ya que sea el muerto?
Mis armas cargué con bala;
Ciutti, sal a ver quién es.
                (Vuelven a llamar más cerca.)

AVELLANEDA. ¿Oísteis?

CIUTTI.   ¡Por San Ginés.
que eso ha sido en la antesala!

D. JUAN.   ¡Ah! Ya lo entiendo: me habéis
vosotros mismos dispuesto
esta comedia, supuesto
que lo del muerto sabéis.

AVELLANEDA. Yo os juro, don Juan...

CENTELLAS.   Y yo.

D. JUAN.   ¡Bah! Diera en ello el más topo,
y apuesto a que ese galopo
los medios para ello os dio.

AVELLANEDA. Señor don Juan, escondido
algún misterio hay aquí.
                (Vuelven a llamar más cerca.)

CENTELLAS. ¡Llamaron otra vez!

CIUTTI.   Sí,
y ya en el salón ha sido.

D. JUAN.   ¡Ya! Mis llaves en manojo
                habréis dado a la fantasma,
                y que entre así no me pasma;
                mas no saldrá a vuestro antojo,
                ni me han de impedir cenar
                vuestras farsas desdichadas.
                (Se levanta y corre los cerrojos de la
                puerta del fondo, volviendo a su lugar)
                Ya están las puertas cerradas;
                ahora el coco, para entrar,
                tendrá que echarlas al suelo
                y en el punto que lo intente,
                que con los muertos se cuente
                y apele después al cielo.
CENTELLAS.   ¡Qué diablos, tenéis razón!
D. JUAN.   Pues ¿no temblabais?
CENTELLAS.   Confieso.
                que, en tanto que no di en eso,
                tuve un poco de aprensión.
D. JUAN.   ¿Declaráis, pues, vuestro enredo?
AVELLANEDA.   Por mi parte, nada sé.
CENTELLAS.   Ni yo.
D. JUAN.   Pues yo volveré
                contra el inventor el miedo,
                mas sigamos con la cena:
                vuelva cada uno a su puesto,
                que luego sabremos esto.
AVELLANEDA.   Tenéis razón.
D. JUAN.   (Sirviendo a Centellas.)
                                  Cariñena;
                sé que os gusta, capitán.
CENTELLAS.   Como que somos paisanos.
D. JUAN.   (A Avellaneda sirviéndole de otra botella.)
                Jerez a los sevillanos,
                don Rafael.
AVELLANEDA.   Hais, don Juan,
                dado a entrambos por el gusto;
                mas ¿con cuál brindaréis vos?
D. JUAN.   Yo haré justicia a los dos.

CENTELLAS.   Vos siempre estáis en lo justo.
D. JUAN.   Sí, a fe; bebamos.
AVELLANEDA.
CENTELLAS.   Bebamos.

*(Llaman a la misma puerta de la escena,
fondo derecha)*

D. JUAN.   Pesada me es ya la broma;
               mas veremos quién asoma
               mientras en la mesa estamos.
               (A Ciutti, que se manifiesta asombrado)
               ¿Y qué haces tú ahí, bergante?
               ¡Listo! Trae otro manjar. *(Vase Ciutti.)*
               Mas me ocurre en este instante
               que nos podemos mofar
               de los de afuera, invitándoles
               a probar su sutileza,
               entrándose hasta esta pieza
               y sus puertas no franqueándoles.
AVELLANEDA.   Bien dicho.
CENTELLAS.   Idea brillante.
                       (Llaman fuerte, fondo derecha.)
D. JUAN.   ¡Señores! ¿A qué llamar?
               Los muertos se han de filtrar
               por la pared, ¡adelante!
               *(La estatua de don Gonzalo pasa por
               la puerta sin abrirla y sin hacer ruido)*

ESCENA II

DON JUAN, CENTELLAS, AVELLANEDA *y* LA ESTATUA
DE DON GONZALO

CENTELLAS.   ¡Jesús!
AVELLANEDA.   ¡Dios mío!
D. JUAN.   ¡Qué es esto!
AVELLANEDA.   Yo desfallezco. *(Cae desvanecido.)*
CENTELLAS.   Yo expiro. *(Cae lo mismo.)*
D. JUAN.   ¡Es realidad o deliro!
               Es su figura..., su gesto.

ESTATUA.   ¿Por qué te causa pavor
quien convidado a tu mesa
viene por ti?

D. JUAN.   ¡Dios! ¿No es ésa
la voz del Comendador?

ESTATUA.   Siempre supuse que aquí
no me habías de esperar.

D. JUAN.   Mientes, porque hice arrimar
esa silla para ti.
Llega, pues, para que veas
que, aunque dudé en un extremo
de sorpresa, no te temo,
aunque el mismo Ulloa seas.

ESTATUA.   ¿Aún lo dudas?

D. JUAN.   No lo sé.

ESTATUA.   Pon, si quieres, hombre impío,
tu mano en el mármol frío
de mi estatua.

D. JUAN.   ¿Para qué?
Me basta oírlo de ti;
cenemos, pues; mas te advierto...

ESTATUA.   ¿Qué?

D. JUAN.   Que si no eres el muerto,
no vas a salir de aquí.
¡Eh! Alzad. *(A Centellas y Avellaneda.)*

ESTATUA.   No pienses, no,
que se levanten, don Juan,
porque en sí no volverán
hasta que me ausente yo.
Que la divina clemencia
del Señor para contigo
no requiere más testigo
que tu juicio y tu conciencia.
Al sacrílego convite
que me has hecho en el panteón,
para alumbrar tu razón
Dios asistir me permite.
Y heme que vengo en su nombre
a enseñarte la verdad,

y es: que hay una eternidad
tras de la vida del hombre.
Que numerados están
los días que has de vivir,
y que tienes que morir
mañana mismo, don Juan.
Mas cómo esto que a tus ojos
está pasando, supones,
ser del alma aberraciones
y de la aprensión antojos,
Dios, en su santa clemencia,
te concede todavía
un plazo hasta el nuevo día
para ordenar tu conciencia.
Y su justicia infinita
porque conozcas mejor,
espero de tu valor
que me pagues la visita.
¿Irás, don Juan?

D. JUAN.   Iré, sí;
mas me quiero convencer
de lo vago de tu ser
antes que salgas de aquí.
                        (Coge una pistola.)

ESTATUA.   Tu necio orgullo delira,
don Juan; los hierros más gruesos
y los muros más espesos
se abren a mi paso; mira.
*(Desaparece la estatua, sumiéndose por
          la pared)*

ESCENA III

DON JUAN, CENTELLAS y AVELLANEDA

D. JUAN.   ¡Cielos! Su esencia se trueca
el muro hasta penetrar,
cual mancha de agua que seca
el ardor canicular.

¿No me dijo: «El mármol toca
de mi estatua?» ¿Cómo, pues,
se desvanece una roca?
¡Imposible! Ilusión es.
Acaso su antiguo dueño
mis cubas envenenó,
y el licor tan vano ensueño
en mi mente levantó.
Mas si éstas que sombras creo
espíritus reales son,
que por celestial empleo
llaman a mi corazón,
entonces, para que iguale
su penitencia don Juan
con sus delitos, ¿qué vale
el plazo ruin que le dan?...
¡Dios me da tan sólo un día!...
Si fuese Dios en verdad,
a más distancia pondría
su aviso a mi eternidad.
«Piensa bien que al lado tuyo
me tendrás...», dijo de Inés
la sombra; y si bien arguyo,
pues no la veo, sueño es.
(*Transparéntase en la pared la sombra
de doña Inés*)

ESCENA IV

DON JUAN, LA SOMBRA DE DOÑA INÉS, CENTELLAS

SOMBRA.   Aquí estoy.
D. JUAN.   ¡Cielos!
SOMBRA.   Medita
lo que al buen Comendador
has oído y ten valor
para acudir a su cita.

> Un punto se necesita
> para morir con ventura;
> elígele con cordura,
> porque mañana, don Juan,
> nuestros cuerpos dormirán
> en la misma sepultura.
> *(Desaparece la sombra.)*

ESCENA V

DON JUAN, CENTELLAS y AVELLANEDA

D. JUAN.
> Tente, doña Inés, espera;
> y si me amas en verdad,
> hazme al fin la realidad
> distinguir de la quimera.
> Alguna más duradera
> señal dame, que segura
> me pruebe que no es locura
> lo que imagina mi afán,
> para que baje don Juan
> tranquilo a la sepultura.
> Mas ya me irrita, por Dios,
> verme por todos burlado,
> corriendo desatentado
> siempre de sombras en pos.
> ¡Oh! Tal vez todo esto ha sido
> por estos dos preparado,
> y mientras se ha ejecutado,
> su privación han fingido.
> Mas, ¡por Dios!, que si es así,
> se han de acordar de don Juan.
> ¡Eh! Don Rafael, Capitán,
> ya basta, alzaos de ahí.
> *(Don Juan mueve a Centellas y a Avella-*
> *neda, que se levantan como quien vuelve*
> *de un profundo sueño)*

CENTELLAS.   ¿Quién va?
D. JUAN.   Levantad.
AVELLANEDA.   ¿Qué pasa?
              Hola, ¿sois vos?
CENTELLAS.   ¿Dónde estamos?
D. JUAN.   Caballeros, claros vamos.
              Yo os he traído a mi casa,
              y temo que a ella, al venir,
              con artificio apostado,
              habéis sin duda pensado
              a costa mía reír;
              mas basta ya de ficción
              y concluid de una vez.
CENTELLAS.   Yo no os entiendo.
AVELLANEDA.   ¡Pardiez!
              Tampoco yo.
D. JUAN.   En conclusión:
              ¿nada habéis visto ni oído?
AVELLANEDA. ⎫
CENTELLAS. ⎬ ¿De qué?
D. JUAN.   No finjáis ya más.
CENTELLAS.   Yo no he fingido jamás,
              señor don Juan.
D. JUAN.   ¡Habrá sido
              realidad! ¿Contra Tenorio
              las piedras se han animado
              y su vida han acotado
              con plazo tan perentorio?
              Hablad, pues, por compasión.
CENTELLAS.   ¡Voto a Dios! ¡Ya comprendo
              lo que pretendéis!
D. JUAN.   Pretendo
              que me deis una razón
              de lo que ha pasado aquí,
              señores, o juro a Dios
              que os haré ver a los dos
              que no hay quien me burle a mí.
CENTELLAS.   Pues ya que os formalizáis,
              don Juan, sabed que sospecho

	que vos la burla habéis hecho de nosotros.

D. JUAN.　　　　　　　¡Me insultáis!

CENTELLAS.　　　No, por Dios; mas si cerrado
seguís en que aquí han venido
fantasmas, lo sucedido
oíd cómo me he explicado.
Ya he perdido aquí del todo
los sentidos, sin exceso
de ninguna especie, y eso,
lo entiendo yo de otro modo.

D. JUAN.　　　A ver, decídmelo, pues.

CENTELLAS.　　Vos habéis compuesto el vino,
semejante desatino
para encajarnos después.

D. JUAN.　　　¡Centellas!

CENTELLAS.　　　　　　Vuestro valor
al extremo por mostrar,
convidasteis a cenar
con vos al Comendador.
Y para poder decir
que a vuestro convite exótico
asistió, con un narcótico
nos habéis hecho dormir.
Si es broma, puede pasar;
mas a ese extremo llevada,
ni puede probarnos nada,
ni os la hemos de tolerar,

AVELLANEDA.　Soy de la misma opinión.

D. JUAN.　　　¡Mentís!

CENTELLAS.　　　　　Vos.

D. JUAN.　　　　　　Vos, Capitán.

CENTELLAS.　　Esa palabra, don Juan...

D. JUAN.　　　La he dicho de corazón.
Mentís; no son a mis bríos
menester falsos portentos,
porque tienen mis alientos
su mejor prueba en ser míos.

AVELLANEDA.   } Veamos. *(Ponen mano a las espadas.)*
CENTELLAS.

D. JUAN.   Poned a tasa
vuestra furia, y vamos fuera,
no piense después cualquiera
que os asesiné en mi casa.

AVELLANEDA.   Decís bien..., mas somos dos.

CENTELLAS.   Reñiremos, si os fiáis,
el uno del otro en pos.

D. JUAN.   O los dos, como queráis.

CENTELLAS.   ¡Villano fuera, por Dios!
Elegid uno, don Juan,
por primero.

D. JUAN.   Sedlo vos.

CENTELLAS.   Vamos.

D. JUAN.   Vamos, Capitán.

FIN DEL ACTO SEGUNDO

ACTO TERCERO

Misericordia de Dios y apoteosis del amor

Personajes: DON JUAN, LA ESTATUA DE DON GONZALO
y DOÑA INÉS

Sombras, estatuas... espectros, ángeles

*Panteón de la familia Tenorio. Como estaba en el acto
primero de la segunda parte, menos las estatuas de doña
Inés y de don Gonzalo, que no están en su lugar*

ESCENA I

DON JUAN, *embozado y distraído, entra en la escena
lentamente*

D. JUAN.   Culpa mía no fue; delirio insano
me enajenó la mente acalorada.
Necesitaba víctimas mi mano
que inmolar a mi fe desesperada,
y al verlos en mitad de mi camino,
presa los hice allí de mi locura.
¡No fui yo, vive Dios! ¡Fue su destino!
Sabían mi destreza y mi ventura.
¡Oh! Arrebatado el corazón me siento
por vértigo infernal... Mi alma perdida
va cruzando el desierto de la vida
cual hoja seca que arrastrara el viento.

Dudo..., temo..., vacilo... En mi cabeza
siento arder un volcán... Muevo la planta
sin voluntad, y humilla mi grandeza
un no se qué de grande que me espanta.
(Un momento de pausa.)
¡Jamás mi orgullo concibió que hubiere
nada más que el valor!... Que me aniquila
el alma con el cuerpo cuando muere
creí..., mas hoy mi corazón vacila.
¡Jamás creí en fantasmas!... ¡Desvaríos!
Mas del fantasma aquel, pese a mi
                                              [aliento,
los pies de piedra caminando siento,
por doquiera que voy tras de los míos.
¡Oh! Y me trae a este sitio irresistible,
misterioso poder...
*(Levanta la cabeza y ve que no está en
su pedestal la estatua de don Gonzalo)*
                              Pero ¡qué veo!
¡Falta allí su estatua!... Sueño horrible,
déjame de una vez... ¡No, no te creo!
Sal; huye de mi mente fascinada,
fatídica ilusión... Están en vano
con pueriles asombros empeñada
en agotar mi aliento sobrehumano.
Si todo es ilusión, mentido sueño,
nadie me ha de aterrar con trampantojos;
si es realidad, querer es necio empeño
aplacar de los cielos los enojos.
No; sueño o realidad, del todo anhelo
vencerle o que me venza; y si piadoso,
busca tal vez mi corazón el cielo,
que lo busque más franco y generoso.
La efigie de esa tumba me ha invitado
a venir a buscar prueba más cierta
de que la verdad en que dudé obstinado...
Heme aquí, pues, Comendador, despierta.
*(Llama al sepulcro del comendador. Este
sepulcro se cambia en una mesa que pa-*

rodia *horriblemente la mesa en que co-*
mieron en el acto anterior don Juan,
Centellas y Avellaneda. En vez de las
guirnaldas que cogían en pabellones sus
manteles, de sus flores y lujoso servicio,
culebras, huesos y fuego, etc. (A gusto
del pintor.) Encima de esta mesa apare-
ce un plato de ceniza, una copa de fuego
y un reloj de arena. Al cambiarse este
sepulcro, todos los demás se abren y de-
jan paso a las osamentas de las personas
que se suponen enterradas en ellos, en-
vueltas en sus sudarios. Sombras, espec-
tros y espíritus pueblan el fondo de la
escena. La tumba de doña Inés per-
manece)

ESCENA II

DON JUAN, LA ESTATUA DE DON GONZALO y LAS SOMBRAS

ESTATUA.   Aquí me tienes, don Juan,
y he aquí que vienen conmigo
los que tu eterno castigo
de Dios reclamando están.

D. JUAN.   ¡Jesús!

ESTATUA.   ¿Y de qué te alteras
si nada hay que a ti te asombre,
y para hacerte eres hombre
platos con sus calaveras?

D. JUAN.   ¡Ay de mí!

ESTATUA.   ¿Qué? ¿El corazón
te desmaya?

D. JUAN.   No lo sé;
concibo que me engañé;
¡no son sueños..., ellos son!
(Mirando a los espectros.)
Pavor jamás conocido
el alma fiera me asalta,

	y aunque el valor no me falta, me va faltando el sentido.
ESTATUA.	Eso es, don Juan, que se va concluyendo tu existencia, y el plazo de tu sentencia fatal ha llegado ya.
D. JUAN.	¡Qué dices!
ESTATUA.	Lo que hace poco que doña Inés te avisó, lo que te he avisado yo, y lo que olvidaste loco. Mas el festín que me has dado debo volverte; y así, llega don Juan, que yo aquí cubierto te he preparado.
D. JUAN.	¿Y qué es lo que ahí me das?
ESTATUA.	Aquí fuego, allí ceniza.
D. JUAN.	El cabello se me eriza
ESTATUA.	Te doy lo que tú serás.
D. JUAN.	¡Fuego y ceniza he de ser!
ESTATUA.	Cual los que ves en redor; en eso para el valor, la juventud y el poder.
D. JUAN.	Ceniza, bien; pero ¡fuego...!
ESTATUA.	El de la ira omnipotente, do arderás eternamente por tu desenfreno ciego.
D. JUAN.	¿Conque hay otra vida más y otro mundo que el de aquí? ¿Conque es verdad, ¡ay de mí!, lo que no creí jamás? ¡Fatal verdad que me hiela la sangre del corazón! ¡Verdad que mi perdición solamente me revela! ¿Y ese reló?
ESTATUA.	Es la medida de tu tiempo.
D. JUAN.	¿Expira ya?

ESTATUA.   Sí; en cada grano se va
           un instante de tu vida.

D. JUAN.   ¿Y ésos me quedan no más?

ESTATUA.   Sí.

D. JUAN.   ¡Injusto Dios! Tu poder
           me haces ahora conocer,
           cuando tiempo no me das
           de arrepentirme.

ESTATUA.   Don Juan,
           un punto de contrición
           da a un alma la salvación,
           y ese punto aún te lo dan.

D. JUAN.   ¡Imposible! ¡En un momento
           borrar treinta años malditos
           de crímenes y delitos!

ESTATUA.   Aprovéchale con tiento,
           (Tocan a muerto.)
           porque el plazo va a expirar,
           y las campanas doblando
           por ti están, y están cavando
           la fosa en que te han de echar.
           (Se oye a lo lejos el oficio de difuntos.
           Se ve pasar por la izquierda luz de di-
                              funtos)

D. JUAN.   ¿Conque por mí doblan?

ESTATUA.   Sí.

D. JUAN.   ¿Y esos cantos funerales?

ESTATUA.   Los salmos penitenciales
           que están cantando por ti.
           (Se ve pasar por la izquierda luz de
                  hachones, y rezan dentro)

D. JUAN.   ¿Y aquel entierro que pasa?

ESTATUA.   Es el tuyo.

D. JUAN.   ¡Muerto yo!

ESTATUA.   El Capitán te mató
           a la puerta de tu casa.

D. JUAN.   Tarde la luz de la fe
           penetra en mi corazón,

pues crímenes mi razón
a su luz tan sólo ve.
Los ve... y con horrible afán,
porque al ver su multitud,
ve a Dios en su plenitud
de su ira contra don Juan.
¡Ah! Por doquiera que fui
la razón atropellé,
la virtud escarnecí
y a la justicia burlé.
Y emponzoñé cuanto vi,
y a las cabañas bajé,
y a los palacios subí,
y los claustros escalé;
y pues tal mi vida fue,
no, no hay perdón para mí.
¡Mas ahí estáis todavía
(A los fantasmas.)
con quietud tan pertinaz!
Dejadme morir en paz,
a solas con mi agonía.
Mas con esa horrenda calma,
¿qué me auguráis, sombras fieras?
¿Qué esperáis de mí?

ESTATUA.   Que mueras
para llevarse tu alma.
Y adiós, don Juan, ya tu vida
toca a su fin; y pues vano
todo fue, dame la mano
en señal de despedida.

D. JUAN.   ¿Muéstrasme ahora amistad?

ESTATUA.   Sí, que injusto fui contigo,
y Dios me manda tu amigo
volver a la eternidad.

D. JUAN.   Toma, pues.

ESTATUA.   Ahora, don Juan,
pues desperdicias también
el momento que te dan,
conmigo al infierno ven.

D. JUAN.   ¡Aparta, piedra fingida!
                   Suelta, suéltame esa mano,
                   que aún queda el último grano
                   en el reló de mi vida.
                   Suéltala, que si es verdad
                   que un punto de contrición
                   da a un alma la salvación
                   de toda una eternidad,
                   yo, Santo Dios, creo en Ti;
                   si es mi maldad inaudita,
                   tu piedad es infinita...
                   ¡Señor, ten piedad de mí!
ESTATUA.   Ya es tarde.
                   (Don Juan se hinca de rodillas, tendiendo
                   al cielo la mano que le deja libre la esta-
                   tua. Las sombras, esqueletos, etc., van a
                   abalanzarse sobre él, en cuyo momento se
                   abre la tumba de doña Inés y aparece
                   ésta. Doña Inés toma la mano que don
                   Juan tiende al cielo)

                        ESCENA III

DON JUAN, LA ESTATUA DE DON GONZALO, DOÑA INÉS,
                   SOMBRAS, *etc.*

D.ª INÉS.   No; heme ya aquí,
                   don Juan; mi mano asegura
                   esta mano que a la altura
                   tendió tu contrito afán,
                   y Dios perdona, don Juan
                   al pie de mi sepultura.
D. JUAN.   ¡Dios clemente! ¡Doña Inés!
D.ª INÉS.   Fantasmas, desvaneceos;
                   su fe nos salva...; volveos
                   a vuestros sepulcros, pues.
                   La voluntad de Dios es;
                   de mi alma con la amargura

purifiqué un alma impura,
y Dios concedió a mi afán
la salvación de don Juan
al pie de la sepultura.

D. JUAN.   ¡Inés de mi corazón!
D.ª INÉS.   Yo mi alma he dado por ti,
y Dios te otorga por mí
tu dudosa salvación.
Misterio que es comprensión
no cabe de criatura,
y sólo en vida más pura
los justos comprenderán
que el amor salvó a don Juan
al pie de la sepultura.
Cesad, cantos funerales;
(Cesa la música y salmodia.)
callad, mortuorias campanas;
(Dejan de tocar a muerto.)
ocupad, sombras livianas,
vuestras urnas sepulcrales;
*(Vuelven los esqueletos a sus tumbas,
              que se cierran)*
volved a los pedestales,
animadas esculturas;
(Vuelven las estatuas a sus lugares.)
y las celestes venturas
en que los justos están
empiecen para don Juan
en las mismas sepulturas.
*(Las flores se abren y dan paso a varios
angelitos, que rodean a doña Inés y a
don Juan, derramando sobre ellos flores
y perfumes, y al son de una música dulce
y lejana se ilumina el teatro con luz de
aurora. Doña Inés cae sobre un lecho de
flores, que quedará a la vista, en lugar
              de su tumba, que desaparece)*

ESCENA ÚLTIMA

DOÑA INÉS, DON JUAN y LOS ÁNGELES

D. JUAN.   ¡Clemente Dios, gloria a Ti!
                    Mañana a los sevillanos
                    aterrará el creer que a manos
                    de mis víctimas caí.
                    Mas es justo; quede aquí
                    al universo notorio
                    que, pues me abre el purgatorio
                    un punto de penitencia,
                    es el Dios de la clemencia
                    el Dios de don Juan Tenorio.
                    *(Cae don Juan a los pies de doña Inés,
                    y mueren ambos. De sus bocas salen sus
                    almas, representadas en dos brillantes
                    llamas, que se pierden en el espacio al
                    son de la música. Cae el telón)*

            FIN DE «DON JUAN TENORIO»

EL PUÑAL DEL GODO

A MI BUEN AMIGO
D. TOMÁS RODRÍGUEZ RUBÍ

A ti, que sabes la historia y origen
de este juguete, y el escaso tiempo que
se me dio para escribirle, te le dedice
ahora que le doy a luz; porque escu-
dado con tu nombre, serán acaso mejor disimulados los muchos defectos
inherentes a una obra escrita por
apuesta en determinado número de
horas.

No atiendas, pues, a su poco valor,
sino al buen recuerdo que con ella te
consagra tu amigo

JOSÉ ZORRILLA.

Madrid, 20 de diciembre de 1842.

PERSONAJES

Don Rodrigo.

El conde don Julián.

Theudia, *noble godo.*

Romano, *monje eremita.*

La escena pasa en la soledad de Pederneira, monte de San Miguel, cerca de la ciudad de Viseo, en Portugal, la noche del día 9 de septiembre de 919.

ACTO ÚNICO

Interior de la cabaña o ermita del monje Romano, sostenida en su centro por un pilar de madera o tronco de árbol, a cuyo pie hay dos asientos. A la derecha, una pequeña hoguera, colocada bajo un respiradero que da salida al humo. Asientos groseros por la escena. Puerta a la izquierda, que da a otra habitación que se supone en la cabaña. Puerta en el fondo, abierta la cual se verá el monte al resplandor de los relámpagos. Al levantarse el telón se ve su claridad por las junturas, y se oye tronar a lo lejos. La hoguera y una tea alumbran la escena

ESCENA I

EL MONJE ROMANO. *(A la lumbre)*

ERMITAÑO. ¡Qué tormenta nos amaga!
  ¡Qué noche, válgame el cielo!
  Y esta lumbre se me apaga...
  ¡Si está lloviznando hielo!
  Cuán grande a Dios se concibe
  en aquesta soledad.
  ¿De quién sino de Él recibe
  su aliento la tempestad?
  ¿Ciego es el terrible acento
  y el fulgor que centellea
  cuando zumba airado el viento
  y el cenit relampaguea?

¿Quién peñas y árboles hiende
con la centella veloz,
como segador que tiende
las espigas con su hoz?
¿Quién sino Dios, que se asienta
sobre las nubes sereno
cuando en las nubes revienta
el fragor del ronco trueno?
Señor, que de las alturas
de tu omnipotencia ves
a las pobres criaturas
que se arrastran a tus pies,
detén, Dios bueno, tus iras,
detén tu justo furor,
si justa saña respiras
contra la obra de tu amor.
Pudiste en un punto hacerla,
y tu inmensa potestad
puede en otro deshacerla
si tal es tu voluntad;
mas considera, Dios mío,
que va a igualar así
al que se te aparta impío
y al que se postra ante Ti.
(Un momento de pausa.)
Mas tanto tardar me extraña,
y estoy temiendo por él...
¿Por qué deja la cabaña
en una tarde tan cruel?
¡Válgame la Virgen Santa!
Si a espesar la lluvia empieza,
¿cómo con segura planta
podrá subir la aspereza
de esa desigual garganta
por do la senda endereza?
¡Infeliz! ¡Cuánto en el mundo
lleva sin duda sufrido;
cuánto es su dolor profundo,
y cuánto está arrepentido!

Mas siento pasos... Parece
(Abre y dice fuera.)
que llega ya... Entrad ligero,
que la tempestad acrece.

ESCENA II

EL MONJE y THEUDIA, *embozado*

THEUDIA. Gracias.
ERMITAÑO.   Mas ¿quién se guarece
de esta choza?
THEUDIA.   Un caballero.
*(Entra Theudia y se desemboza. Quedan
          mirándose un momento)*
Sorprendido os hais quedado.
¿Qué es lo que tenéis, buen hombre?
ERMITAÑO. ¿Y no queréis que me asombre
de que hayáis aquí llegado?
THEUDIA. En verdad que es aprensión
tener, como una cigüeña,
en la punta de la peña
un hombre su habitación.
ERMITAÑO. Mis votos me retrajeron
a esta triste soledad.
THEUDIA. ¡Monje sois! ¡Oh! Perdonad
mis palabras si os pudieron
ofender.
ERMITAÑO.   No, en modo alguno.
Acogíme a esta montaña
sin creer que gente extraña
me hallara en tiempo ninguno.
THEUDIA. Si os estorbo...
ERMITAÑO. *(Interrumpiéndole.)*
                      Aparte Dios
tal pensamiento de mí.
Contento os tendré yo aquí,
como estéis contento vos.

THEUDIA.   Yo estaré siempre contento,
que mil noches he pasado
peor acondicionado
en mitad del campamento.

ERMITAÑO. ¿Soldado sois?

THEUDIA.   Helo sido,
porque salí de mi tierra.

ERMITAÑO. ¿Os cansaba ya la guerra?

THEUDIA.   No; pero nos han vencido,
merced a infames traidores,
y evito la suerte, huyendo
de vivir, esclavo siendo
de mis fieros vencedores.

ERMITAÑO. Mas huir...

THEUDIA.   Téngase, anciano;
contra ellos se alzó bandera,
y voy adondequiera
que la defienda un cristiano.
Pero fatigado estoy;
¿tenéis algo que cenar?

ERMITAÑO. Fruta seca os puedo dar;
no os regalo.

THEUDIA.   _   Sobrio soy.
(El ermitaño le pone delante algunas fru-
tas y una vasija con agua; Theudia come
y bebe)

ERMITAÑO. Ea, pues, tomad, sentaos.
Dadme la capa, os la cuelgo.

THEUDIA.   Que así me tratéis me huelgo;
mas yo...

ERMITAÑO.   No; vos calentaos,
que bien lo necesitáis.

THEUDIA.   Buen viejo, por Dios que sí.
(El ermitaño mira a la parte de afuera
teniendo abierta la puerta)
Pero ¿qué hacéis, ¡pese a mí!,
que esa puerta no cerráis?
¿No veis que empieza a llover
y el aire no hay quien resista?

ERMITAÑO. Esto es lo que me contrista.

THEUDIA. Pues ¿qué nos da que temer?

ERMITAÑO. Nada; por un compañero
siento en verdad pesadumbre.

THEUDIA. ¿Fuera está?

ERMITAÑO.   Sí.

THEUDIA.   Ya costumbre
tendrá en ese ruin sendero.

ERMITAÑO. ¡Ay, infeliz! No lo sé.
Dios en sus pies ponga tino.

THEUDIA. Pues ¿no conoce el camino?

ERMITAÑO. No siempre.

THEUDIA.   Torpe es a fe.

ERMITAÑO. Hablad de él con más respeto,
que aunque es hoy bien desdichado,
hombre es que no fue criado
de invectivas para objeto.

THEUDIA. Perdonad.

ERMITAÑO.   De ello no hablemos;
sabedlo, que no es de más.

THEUDIA. Si es que me juzgáis quizá
útil, descender podemos
a ayudarle.

ERMITAÑO.   No es preciso,
que todo el auxilio humano
le fuera ofrecido en vano;
mas estemos sobre aviso.

                     (Va a la puerta otra vez.)

THEUDIA. *(Aparte.)*
¡Si equivocado me habré
y a caer habré venido
en la cueva de un bandido!
Veamos. ¿Buen viejo?

ERMITAÑO. *(Volviendo a la escena.)*
                     ¿Qué?

THEUDIA. Yo, como soldado, soy
algo hablador y curioso.
Decidme, pues, si enojoso
con mis preguntas no estoy;

            puesto que es un compañero
            ese hombre a quien aguardáis,
            ¿por qué recelando estáis
            que no dé con el sendero?

ERMITAÑO. Porque es capaz por sí mismo,
            si su demencia le apura,
            de abrirse la sepultura
            en el fondo del abismo.

THEUDIA. ¡Jesús! ¿La mente le falta?

ERMITAÑO. De lo pasado, el recuerdo
            le pone tan sin acuerdo,
            que algunas veces le asalta
            un delirio tan cruel,
            un delirio tan insano,
            que no hallo remedio humano
            que pueda acabar con él.
            Y aunque, o engañado estoy,
            o ningún acceso extraño
            le ha acometido hace un año,
            me temo que le dé hoy.

THEUDIA. ¿Y sabe de él la razón?

ERMITAÑO. Guarda un silencio profundo
            de lo que le hizo en el mundo
            tan íntima sensación.

THEUDIA. Picáis mi curiosidad;
            de historia debe ser hombre.

ERMITAÑO. Me ha callado hasta su nombre.

THEUDIA. Padre, ¿os burláis?

ERMITAÑO.   No en verdad;
            cinco años hace que vino
            a demandarme asistencia
            en una grave dolencia,
            y estuvo a morir vecino.
            Mas sanó al fin, y tornar
            no quiso al mundo otra vez,
            viviendo en esta estrechez
            con una vida ejemplar.
            ¡Oh! Si él su perdón no alcanza
            con vida tan penitente,

no sé quién sea el viviente
que de ello tenga esperanza.

THEUDIA. Mas ¿no decís que está loco?

ERMITAÑO. Dejóle su enfermedad
extrema debilidad
que hirió su cerebro un poco.
Y cuando en algún acceso
el desdichado no entra,
es un hombre en quien se encuentra
mucho valor, mucho seso;
mas cuando el mal le acomete,
¡oh!, entonces es extremado.

THEUDIA. Pero ¿nunca os ha contado?

ERMITAÑO. Jamás; y si se le mete
conversación de su historia,
según que tiembla y se espanta,
parece que se levanta
un espectro en su memoria.

THEUDIA. ¡Es bravo caso, a fe mía,
y que atención me merece!
¿Y en qué da cuando enloquece?

ERMITAÑO. En una horrible manía.
Tiene consigo una daga
que jamás del cinto quita,
y dice que está maldita
y que a su existencia amaga.
Y en su demencia, al entrar,
exclama con gran pavor:
«Con ese puñal traidor,
con ése me ha de matar.»

THEUDIA. ¡Raro es por Dios! ¿Y conviene
con período o día alguno
fijo su mal?

ERMITAÑO.   Hoy es uno;
el más terrible que tiene.

THEUDIA. ¡Hoy!

ERMITAÑO.   Por eso es mi recelo
mayor.

THEUDIA.   ¿Sabéis si ese hombre es
de esta tierra?

ERMITAÑO.   ¿Portugués?
Creo que no.

THEUDIA.   ¡Por el cielo,
que a ser español podría
su demencia comprender!

ERMITAÑO. Pero ¿qué tiene que ver
ese mal con este día?

THEUDIA. ¡Hoy es un día de hiel,
de luto, baldón y saña
para la infeliz España!
¡Y ay de quien fue causa de él!
Mas hablemos de otra cosa.
¿Vos sois portugués?

ERMITAÑO.   Sí, soy;
mas hace once años que estoy
morando aquí

THEUDIA.   ¿Y no os acosa
el deseo de saber
lo que por el mundo pasa?

ERMITAÑO. Diome el dolor tan sin tasa
y con tal tasa el placer
ese mundo que mentáis,
que los días de mis años
conté en él por desengaños,
y huyo de él.

THEUDIA.   Y lo acertáis.

ERMITAÑO. Mas callad..., oigo rumor
en la maleza. ¿Quién va?

RODRIGO. *(Dentro.)*
Yo, hermano.

THEUDIA.   ¿Es él?

ERMITAÑO.   Aquí está.

ESCENA III

EL ERMITAÑO, THEUDIA y DON RODRIGO, *envuelto en una especie de clámide larga y entrando distraído, como meditando*

ERMITAÑO. *(A don Rodrigo.)*
        Me habíais puesto en temor.
RODRIGO.   Gracias.
ERMITAÑO.   ¿Os perdisteis?
RODRIGO.   No.
ERMITAÑO. ¿Visteis el nublado?
RODRIGO.   Sí.
ERMITAÑO. ¿Y dónde ibais?
RODRIGO.   ¡Qué sé yo!
ERMITAÑO. Traeréis frío.
RODRIGO.   Así así.
ERMITAÑO. Calentaos, pues.
RODRIGO.   Sí haré.
      (Al acercarse al fuego ve a Theudia, que escucha vuelto de espaldas a ellos)
      (Aparte al ermitaño.)
      Pero ¿quién con vos está?
ERMITAÑO. Un viajero que poco ha
      llegó aquí.
RODRIGO.   ¿Quién es?
ERMITAÑO.   No sé.
RODRIGO. No os fiéis de ningún hombre;
      la doblez y la traición
      abriga en el corazón
      de más prez y de más nombre
ERMITAÑO. Mas ved...
RODRIGO.   Yo sé lo que digo;
      preguntadle el suyo a ése,
      y veré, mal que le pese,
      si es amigo o enemigo.
ERMITAÑO. De nosotros, ¿y por qué?
      ¿A quién jamás ofendimos?

RODRIGO.   Todos, padre, delinquimos;
                ved de hablarle.
ERMITAÑO.   Sí que haré.
THEUDIA.   *(Aparte.)*
                (No me gusta ese misterio
                con que platican los dos.
                Estaré alerta, por Dios,
                que puede ser lance serio.)
                *(Don Rodrigo va hacia el fuego, y aparta
                     a Theudia para poner su banquilla)*
RODRIGO.   *(A Theudia.)*
                Haceos, buen hombre, allá.
THEUDIA.   (Pues gasta gran cortesía.)
ERMITAÑO.   *(Aparte a Theudia.)*
                (Quiere ese sitio, es manía.)
THEUDIA.   Bien hace; en su casa está.
                (Aparte.)
                (Mas ahora que bien le miro,
                no es ésta la vez primera
                que he visto esa faz severa...
                ¡Gran Dios! ¡Qué idea!... ¡Eh!... Deliro.)
                           (Un espacio de silencio.)
ERMITAÑO.   *(A Theudia.)*
                Callado estáis.
THEUDIA.   ¡Qué queréis!
                ¿De qué os tengo yo que hablar?
ERMITAÑO.   ¿Una historia no sabéis
                que podernos relatar?
THEUDIA.   Sé tantas, que duraría
                mi relato un año entero;
                mas hoy mentarlas no quiero,
                que es para mí aciago día.
RODRIGO.   *(Con viveza y aire sombrío.)*
                También para mí lo es.
THEUDIA.   *(Idem.)*
                Y para todo español
                lo será mientras el sol
                alumbre.

RODRIGO.   (Agitado.)
                        Decidme, pues.
            ¿Conque hoy es un día aciago
            para España?
THEUDIA.   ¡Sí, por Dios!
            Qué, ¿no ha llegado hasta vos
            la noticia de ese estrago?
ERMITAÑO.   (Queriendo interrumpirle.)
            En este desierto hundidos...
RODRIGO.   (Interrumpiéndole.)
            Dejadle, ¡Pese a mi estrella! (Al ermitaño.)
            Dejadle que me hable de ella,
            aunque hiera mis oídos.
            ¿Habéis en España estado? (A Theudia.)
THEUDIA.   Bajo su cielo he nacido.
RODRIGO.   ¡Ay! Nacer os ha cabido
            en país bien desdichado.
            ¿Qué pasa hoy en él?
THEUDIA.   ¿Qué pasa?
            Presa es de gente salvaje,
            a quien rinde vasallaje,
            y que la asuela y la arrasa.
            Por dar entrada en su pecho
            a una venganza de amor,
            ha abierto un conde traidor
            a los moros el Estrecho.
RODRIGO.   Obró bien villanamente,
            sí; ¡tómele Dios en cuenta
            a su rey tan torpe afrenta,
            tan gran traición a su gente!
THEUDIA.   Dicen que audaz le ultrajó
            en su hija el rey don Rodrigo.
RODRIGO.   Mas si era el rey su enemigo,
            no lo era su reino, no.
THEUDIA.   Con moros hizo su flete,
            y hoy hace años que en Jerez
            se ahogó España de una vez
            en el turbio Guadalete.

RODRIGO.   Sí, allí lo perdimos todo;
              debajo de su corriente
              yace vergonzosamente
              la gloria del reino godo.
              ¡Maldito quien fue concordia
              con los árabes a hacer,
              y maldita la mujer
              ocasión de la discordia!

THEUDIA.   ¡Sabéis esa historia!
              (Creciendo el interés en ambos.)

RODRIGO.   Sí;
              y me prensa el corazón.

THEUDIA.   También a mí.

RODRIGO.   Y con razón.

THEUDIA.   Sí, que su víctima fui.

RODRIGO.   Yo también.

THEUDIA.   ¿Sois vos de España?

RODRIGO.   *(Reservándose de repente y con sequedad.)*
              No lo sé.

THEUDIA.   *(Afanoso.)*
                           Vos...

RODRIGO.   Basta ya.

THEUDIA.   No, que atenazando está
              mi memoria idea extraña...
              Yo en Guadalete me hallé.

RODRIGO.   Conmigo.

THEUDIA.   Con vos, ¡Dios mío!
              Hundirse le vi en el río,
              y ayudarle me arrojé;
              pero ya no le vi más.

RODRIGO.   ¡Theudia!

THEUDIA.   Señor. *(Queriendo arrodillarse.)*

RODRIGO.   Alza, ¡necio!
              Del mundo soy ya desprecio.

THEUDIA.   Pero de Theudia, jamás.

RODRIGO.   Padre, un escaso momento
              dejadnos solos.

ERMITAÑO.   *(A Theudia.)* Por Dios.
              no le excitéis mucho vos.

THEUDIA.   Descuidad; de su contento
            no son excesos extraños,
            que somos amigos viejos,
            y de nuestra patria lejos
            nos vemos tras largos años.
            *(El ermitaño entra en el interior de la ca-
                        baña por la izquierda)*

ESCENA IV

DON RODRIGO y THEUDIA. *(Llueve)*

RODRIGO.   Háblame de mi España, Theudia amigo:
            háblame de ella, tú, que fuiste el solo
            en quien traición tan fea no halló abrigo,
            en quien tu pobre rey no encontró dolo.
            Dime, ¿conserva aún el pueblo hispano
            recuerdo alguno de la antigua gloria?
            ¿Qué piensa del vencido soberano?
            Theudia, ¿qué sitio ocupa en su memoria?
THEUDIA.   No me lo preguntéis.
RODRIGO.   ¡Ah! Te comprendo:
            me culpa sólo a mí.
THEUDIA.   Sois el vencido.
RODRIGO.   Desengaño es a un rey, duro y tremendo.
            ¿Conque sólo me dan...?
THEUDIA.   Mengua u olvido.
            Mas basta ya, que vuestro afán entiendo.
            ¿Y cómo os hallo aquí?
RODRIGO.   Triste es mi historia,
            Theudia.
THEUDIA.   Y la mía.
RODRIGO.   Y yo, ¿cómo te hallo?
THEUDIA.   Huyendo de los moros.
RODRIGO.   ¿La victoria
            llevan?
THEUDIA.   Ya es nuestro pueblo su vasallo.

RODRIGO.   ¡Tierra infeliz!

THEUDIA.   Sí, a fe. Toda la ocupan
esos infieles ya.

RODRIGO.   ¿Ya nada resta?

THEUDIA.   Un rincón en Asturias, do se agrupan
los que escaparon de la lid funesta.

RODRIGO.   Pero ¿podrán allí...?

THEUDIA.   No pueden nada,
por más que, de ira y de venganza rayo,
levantó su pendón con alma osada
vuestro valiente primo don Pelayo.

RODRIGO.   ¿Y mis nobles con él?

THEUDIA.   No, no hay ninguno.

RODRIGO.   ¡Ninguno dices!

THEUDIA.   Perecieron todos
a manos de los moros uno a uno.

RODRIGO.   ¿Qué resta, pues, de los ilustres godos?

THEUDIA.   Vos y yo nada más; porque no cuento
al que con vil traición nos ha vendido.

RODRIGO.   ¿Aún vive don Julián?

THEUDIA.   Para escarmiento
de los que a sus contrarios han servido.

RODRIGO.   ¡Vive! ¿Y qué es ora de él?

THEUDIA.   En una torre
estuvo largo tiempo, mas con maña
huyó de allí... Su estrella le socorre.

RODRIGO.   ¡Sí, sí; mi estrella, tan fatal a España.
¡Ay, bien mi corazón me lo decía:
su estrella marcha con la estrella mía!

THEUDIA.   ¿Qué es lo que habláis, señor?

RODRIGO.   Es mi secreto.
(No para ti, de mi amistad objeto.)
Es agüero fatal que a fin terrible
de mi existencia el término ha sujeto.

THEUDIA.   ¿Y en agüeros creéis? Es imposible.

RODRIGO.   Theudia, son los destinos celestiales
inmutables, y es justo su castigo
para los que han causado tantos males
en la tierra, cual yo.

THEUDIA.   Soñáis os digo.
El noble osado que su suerte afronta,
hace cejar a su enemiga suerte,
o halla tranquilidad segura y pronta
en el reposo de gloriosa muerte.
Eso es superstición.

RODRIGO.   Yo ya sabía
que el insensato mundo
miedo o superstición lo llamaría.
¡Mas, ay, que es verdad!

THEUDIA.   Y a ese villano...

RODRIGO.   El cielo, de los godos enemigo,
para que acabe al fin, guarda su mano
con todos de una vez dando conmigo.

THEUDIA.   ¡Ay si yo doy con él! En la frontera
le perdí.

RODRIGO.   ¿Le seguíais?

THEUDIA.   Desde el día
que vi frente a las nuestras su bandera,
vengar de ello juré a la patria mía.
Y de soldado suyo disfrazado,
de aventurero ya, ya de mendigo,
fui su sombra doquier, doquier he estado
de él en acecho, y la traición conmigo.
Mas un poder oculto le defiende;
jamás en ocasión hallarme pude.

RODRIGO.   En vano, sí, tu lealtad pretende
que el cielo en ello vengador te ayude.

THEUDIA.   ¡Ay si me vuelvo a ver sobre su huella!
¡Ay si algún día mi furor le alcanza!
No ha de valerle contra mí su estrella.
Será, como él, traidora mi venganza.

RODRIGO.   No, Theudia, es imposible... Inútil brío.
Oye, y esta conserva en tu memoria
página triste de mi triste historia.
Al salir de las aguas de aquel río
do me viste caer sin la victoria,
y en cuya agua se hundió cuanto fue mío,
abandoné el caballo y la armadura,

cambié con un pastor mi vestidura,
y con todo el pesar del vencimiento,
despechado me entré por la espesura,
cual de esperanza ya, falto de aliento.
¡Cuánto, Theudia, sufrí! Triste, perdido,
de mi reino crucé por las llanuras
en hambre y soledad, como un bandido
que huyendo de la ley camina a oscuras.
Era la hora en que la luz se hundía
tras las montañas, y la niebla densa
por todo el ancho de la selva umbría
iba tendiendo su cortina inmensa.
Con el cansancio y el temor y el duelo,
fiebre traidora me abrasaba ardiente,
sin ver dónde acudir en aquel suelo
en que nunca tal vez habitó gente.
Cuanto con más esfuerzos avanzaba
viendo si al llano por doquier salía,
más la selva a mis pasos se cerraba,
más en la negra oscuridad me hundía.
Un vértigo infernal apoderóse
de mi alma..., y sin luz y sin camino,
a mi exaltada mente presentóse
toda la realidad de mi destino.
Rey sin vasallos, sin amigos hombre,
en mi raza extinguido el reino godo,
sin esperanzas, sin honor, sin nombre,
perdido, Theudia, para siempre todo.
¡Cuán odioso me vi! Despavorido
a pedir empecé con grandes voces
auxilio en el desierto; mas perdido
fue mi acento en las ráfagas veloces
a expirar en los senos del espacio...,
y a impulso entonces del furor interno,
maldiciendo mi estirpe y mi palacio,
con sacrílega voz llamé al infierno.

THEUDIA.   ¡Cielos!
RODRIGO.   Y él me acudió; sulfúrea lumbre

rauda encendió relámpago brillante,
y en mi pecho siniestra incertidumbre.
Sentí algo junto a mí; miré un instante,
y a la sulfúrea luz, monje sombrío
a mi lado pasó, y a su presencia
tembló mi corazón, cedió mi brío.
Pedile amparo, mas fatal sentencia
me fulminó diciendo: «¡Vaya, impío,
que él, a quien deshonró tu incontinencia,
vendrá de crimen y vergüenza lleno,
con tu mismo puñal a hendir tu seno!»
Dijo, y entre la niebla arrebatado
huyó el fantasma y me dejó aterrado.

THEUDIA.   Sueño vuestro, fantasma peregrino
fue de la calentura abrasadora.

RODRIGO.   No, Theudia; voz de mi fatal destino.
Mientras ese hombre esté sobre la tierra,
Theudia, no hay para mi paz ni reposo;
doquiera el paso sin piedad me cierra
ese espectro a mi raza peligroso.
¿Ves el puñal que cuelga a mi cintura?
Con él me ha de matar, es mi destino;
Theudia, no hay tierra para mí segura;
ese hombre ha de bajar por mi camino.

THEUDIA.   ¡Y eso creéis!... Calládselo a la gente,
y toleradme en paz esta franqueza.
Mas vuestra vida austera y penitente
amenguó de vuestra alma la grandeza,
y amenguó la razón de vuestra mente.

RODRIGO.   Tiene en mi corazón sacro prestigio,
Theudia, te lo confieso, y me amedrenta
aquella predicción y aquel prodigio.

THEUDIA.   ¡Prodigio lo llamáis! ¿Y no os afrenta
tal vil superstición?

RODRIGO.   Sea en buen hora,
mas creo en ello; a ser fascinadora
de la mente aprensión, despareciera
con el tiempo; el ayuno y el cilicio
arrancado a la mente se la hubiera

THEUDIA.   La arrancara mejor trompa guerrera
            y de la lid revuelta el ejercicio.
            Eso cumple mejor a vuestra raza;
            en vez de esta cabaña y ese sayo,
            la blanca tienda y la ferrada maza,
            y el bruto cordobés, hijo del rayo.
            Sí; mientras viva Theudia y por amigo
            queráis tenerme, con bizarro alarde
            os dirá, de la paz siempre enemigo,
            que el noble que no lidia es un cobarde.
RODRIGO.   ¡Traidor!
THEUDIA.   ¡Hola! Vuestra alma se despierta
            a la voz del honor; así os quería:
            veo que aún vuestra sangre no está muerta,
            y alienta el corazón con hidalguía.
            Escuchadme, señor, y ved despacio
            el peso y la razón de lo que os digo,
            que es mengua, sí, que quien nació en palacio
            aguarde con pavor a su enemigo.
            Perdido estáis, sin esperanza alguna;
            no hay para vos ni fuerza ni derecho;
            no hay para vos ni gente ni fortuna;
            el moro vuestro ejército ha deshecho,
            y atropelló a la cruz la media luna;
            mas hay un corazón en vuestro pecho
            que a vuestro antiguo honor cuentas de-
                                        [mande,
            y un corazón de rey debe ser grande.
            Si a las manos morir es vuestro sino
            de ese conde traidor que nos vendiera,
            la mitad evitadle del camino
            tras él saliendo con audacia fiera.
            Provocad con valor vuestro destino;
            con él trabaos en la lid postrera,
            y arrostrad ese sino que os espanta
            vuestro puñal hundiendo en su garganta.
            Ya no tenéis ni ejércitos ni enseñas,
            mas os resta un amigo y un vasallo,

y las lunas del mundo no son dueñas,
ni es de la suerte irrevocable el fallo.
Dejad, pues, el misterio de estas breñas;
asíos de una lanza y un caballo,
y con caballo y lanza, y yo escudero,
si no podéis ser rey, sed caballero.

RODRIGO.   Basta, Theudia; ese bélico lenguaje
cumple a los corazones bien nacidos,
y en el mío despiertan el coraje
de tus fieras palabras los sonidos.
Sangre me pide mi sangriento ultraje,
sangre mis tercios en Jerez vencidos.
Theudia, tienes razón; de cualquier modo,
morir me cumple cual monarca godo.
Sí; ya a mi olfato y mis oídos siento
que trae el aura que las riendas mece
el militar olor del campamento
y el clamor de la lid que se embravece,
y del clarín agudo el limpio acento
que a los nobles caballos estremece;
y esa guerrera y bárbara armonía
la prez me torna de la estirpe mía.
Indigna es de un monarca y de un guerrero
esta debilidad que me avergüenza;
de mi superstición reírme quiero;
no quiero, Theudia, que el pavor me venza.

THEUDIA.   Dos sendas hay, y por cualquiera os sigo;
buscar al conde y perecer vengado,
a guareceros del pendón amigo
y acabar con honor como soldado.

RODRIGO.   Cumple eso más al corazón que abrigo;
Theudia, olvidémonos de lo pasado,
y en la desgracia, de rencor ajenos,
bajemos a la tumba de los buenos.
Esta arma vil que a mi existencia amaga,
quédese aquí después de mi partida,

*(Clava el puñal en el poste que sostiene la
choza)*

y quede en este tronco, con mi daga,
enclavado el misterio de mi vida.
¿Dices que ha levantado en la montaña
pendón un noble, de venganza rayo?
Pues bien, ¿qué hacemos en la tierra ex-
¡Lejos de mí mi penitente sayo!   [traña?
Vamos, Theudia, a lidiar por nuestra Es-
y a triunfar o caer con don Pelayo;   [paña,
no diga nunca el mundo venidero
que ni supe ser rey ni caballero.

THEUDIA.   ¡Ahora os conozco, vive Dios!

RODRIGO.   Mañana,
partiremos a Asturias.

THEUDIA.   Franco paso
nos dará el Portugal que nos dio asilo.

RODRIGO.   Hasta mañana, pues; duerme tranquilo.
Duerme, Theudia.

THEUDIA.   ¡Señor, velando acaso
vais a quedar mi sueño!

RODRIGO.   Desde ahora
no hay de los dos segundo ni primero.

THEUDIA.   Señor...

RODRIGO.   Déjame solo hasta la aurora;
pues no soy más que un pobre aventurero,
seré, en vez de tu rey, tu compañero.
(Vase Theudia al aposento contiguo de la
izquierda)

ESCENA V

DON RODRIGO

RODRIGO.   Bien dice ese leal. Más vale al cabo
caer en una lid por causa extraña,
que de servil superstición esclavo,
llorar imbécil la perdida España.
Saldré otra vez al agitado mundo
con mi contraria suerte por herencia,

velando en el misterio más profundo
el secreto fatal de mi existencia.
Nada soy, nada tengo, nada espero;
encerrado desde hoy en mi armadura,
seré en mi propia causa aventurero,
sin esperar jamás prez ni ventura.
Mas al caer lidiando en la campaña,
al pueblo diga mi sangrienta huella:
«Ved; si no supo defender a España,
supo a lo menos sucumbir por ella.»
Mas, ¡ay, triste de mí! Mi pueblo mismo,
que me tiene en horror, con frío encono
me verá descender hacia el abismo
como me ha visto descender del trono.
Sí; aplaudiendo tal vez mi sino adverso...
y todo es obra tuya, conde infame;
por ti desprecio soy del universo.
Fuerza es que sangre nuestra se derrame.
(Viendo el puñal.)
Mas, Dios santo, ¡ahí estás! Húyeme, aparta,
sueño fascinador, que esquivo en vano;
nunca de sangre de los godos harta,
esta daga fatal busca una mano.
La de uno de ambos... Tigre vengativo,
ser exterminador de mi familia;
uno solo de entrambos quede vivo,
veamos el infierno a quién auxilia.
Mi razón, mi creencia lo repele;
mas nunca echar de mí puedo esta idea;
ese día fatal, ¡oh infierno!, impele;
tráenosle de una vez, y pronto sea.
Vértigo horrible el corazón me acosa,
sed de su sangre el corazón me irrita...
¡O huye por siempre, pesadilla odiosa,
o ante mis ojos ven, sombra precita!
*(Ábrese la puerta con ímpetu, y al par que
ilumina el fondo un relámpago, entra en la
escena el conde don Julián)*

ESCENA VI

DON RODRIGO y EL CONDE

CONDE.   Gracias al diablo que llegué a la cumbre.
RODRIGO.   ¿Quién es? ¿Do va? ¿Qué busca? ¿Quién le
                                                        [trae?
CONDE.   ¡Rápido preguntar! Mas si es costumbre,
            oíd. Un hombre, a Portugal y lumbre
            para secarme del turbión que cae.
            ¿Hay más que preguntar?
RODRIGO.   Mal humor gasta.
CONDE.   Lo mismo que pregunta le respondo.
            ¿Tiene algo que cenar?
RODRIGO.   Nada.
CONDE.   Pues basta.
            La cuestión por mi parte ha dado fondo.
            (Se sienta con calma a la lumbre.)
RODRIGO.   Desatento venís donde os alojan.
CONDE.   Pues sin brindarme vos yo me aparezco,
            y esos nublados hasta aquí me arrojan,
            ni vos me la ofrecéis, ni os la agradezco.
RODRIGO.   Me obliga, por mi fe, la cortesía,
            mas no soy hombre que a sufrir me avenga,
            razones de tamaña altanería.
CONDE.   Tampoco yo, que despechado vengo,
            y harto estoy de la vida.
RODRIGO.   Y yo lo mismo.
CONDE.   Yo tras la muerte con deseo insano
            debo partir mañana muy temprano.
RODRIGO.   Y yo también.
CONDE.   ¿Y adónde?
RODRIGO.   A España.
CONDE.   De ella
            vengo.
RODRIGO.   ¿Sois de ella?
CONDE.   Por desdicha mía.
RODRIGO.   Cúpome a mí también tan mala estrella.
CONDE.   Que la mía, peor nunca sería.
RODRIGO.   Puede que sí.
CONDE.   Lo dudo.
RODRIGO.   Allí he perdido
            cuanto amé.

CONDE.   Yo también.
RODRIGO.   Padres, hermanos...
CONDE.   Yo también.
RODRIGO.   Mis amigos me han vendido.
CONDE.   También a mí.
RODRIGO.   Fui mofa a los villanos.
CONDE.   También yo.
RODRIGO.   Y el honor de mis blasones
ultrajó un hombre vil.
CONDE.   Y otro los míos.
RODRIGO.   Yo he tenido que huir.
CONDE.   Como ladrones
nos desbandamos, sin poder ni bríos,
mis soldados y yo. Todos ingratos
me han sido a mí.
RODRIGO.   Y a mí todos traidores.
CONDE.   Nada espero.
RODRIGO.   Ni yo. Mas pienso a ratos
en venganzas horribles.
CONDE.   No mayores
que las mías serán.
RODRIGO.   ¡Oh! Sí. Son tales,
que vértigos terribles me producen.
CONDE.   Las mías a la rabia son iguales.
RODRIGO.   Y las mías a España me conducen
nada más que a morir.
CONDE.   Y a mí lo mismo;
vengo a buscar un hombre a quien detesto,
y ante uno de los dos se abre el abismo.
RODRIGO.   Yo busco a otro hombre para mí funesto,
y guardo ese puñal de mi familia
que del uno es el fin de todos modos.
            (El conde lo mira y lo reconoce. Esto de-
                  pende de los actores)
CONDE.   ¿Es tuyo ese puñal?
RODRIGO.   Sí.
CONDE.   ¡Dios me auxilia!
Ese hierro es la muerte de los godos.
RODRIGO.   Godo soy.
CONDE.   Yo también, mas su enemigo.
RODRIGO.   ¿Quién hará de ello ante mi vista alarde?
CONDE.   ¡Tú eres el torpe rey!...
RODRIGO.   ¡Tú el vil cobarde!...

CONDE.   Yo el conde don Julián.
RODRIGO.   Yo don Rodrigo.
          (Quedan un momento contemplándose.)
CONDE.   Nos hallamos al fin.
RODRIGO.   Sí, nos hallamos.
          Y ambos a dos execración del mundo,
          la última vez mirándonos estamos.
CONDE.   Eso apetece mi rencor profundo.
          Mírame bien; sobre esta faz, Rodrigo,
          echaron un baldón tus liviandades,
          y el universo de él será testigo,
          y tu torpeza horror de las edades.
RODRIGO. Culpa fue de mi amor la culpa mía;
          de Florinda me abona la hermosura;
          mas ¿quién te abonará tu villanía?
CONDE.   De mi misma traición la desventura.
          Deshonrado por ti, perdílo todo;
          mas no saciaba mi venganza fiera
          tu afrenta nada más, menester era
          toda la afrenta del imperio godo.
RODRIGO. ¡De un traidor como tú fue digna hazaña!
          Cumplieras con tus viles intenciones
          yendo a matarme con silencio y maña,
          o contra mí sacaras tus pendones
          y bebieras mi sangre en la campaña,
          mi corazón echando a tus legiones;
          mas no lograras con tan necio encono
          vender a España por hollar mi trono.
CONDE.   Todo lo ansiaba mi tremenda saña;
          no hartaba mis sangrientas intenciones
          beber tu sangre con silencio y maña,
          o en contra tuya levantar pendones;
          dar quise tu lugar a estirpe extraña,
          y tu raza borrar de las naciones;
          eso quería mi sangriento encono,
          vender tu reino y derribar tu trono.
RODRIGO. ¡Y lo lograste!
CONDE.   Sí; logré que al cabo
          el mundo a ambos a dos nos aborrezca:
          a ti de torpes vicios por esclavo,
          y a mí por mi traición, nos escarnezca.
RODRIGO. ¡Tanta maldad de comprender no acabo!
CONDE.   Hice más.

RODRIGO.   Imposible es ya que crezca
tu infamia.

CONDE.   Escucha, pues, ¡oh rey Rodrigo!,
a cuánto llega mi rencor contigo.
Yo sólo quedo de mi raza; presa
los demás de los moros, a pedradas
fue muerta ante mis ojos la condesa,
y a la mar arrojados a lanzadas
mis hijos, de Tarifa en la sorpresa;
mas te traigo una nueva, que pagadas
me deja todas las desdichas mías;
supe tiempo ha que en Portugal vivías.

RODRIGO.   ¡Dios!

CONDE.   Por un monje que te halló en la selva.

RODRIGO.   ¡Un monje! *(Con temor.)*

CONDE.   Sí; mi hermano, cuyos votos
le impiden hoy que contra ti se vuelva,
mas cuya astucia para siempre rotos
los anillos dejó de mis cadenas
para seguir tus pasos noche y día,
y para que la sangre de tus venas
la mancha lave de la afrenta mía.

RODRIGO.   ¿Y es cierto? ¿Y ese monje era tu hermano?
¿Era un hombre no más? ¡No era un fan-
[tasma!
¿Nada había en su ser de sobrehumano?

CONDE.   ¡Que tal preguntes en verdad me pasma!
Él me salvó y me dijo: «Ve a buscarle;
mas antes de matarle,
dile que su castísima Egilona
con su amor ha comprado otra corona.»

RODRIGO.   ¡Mi esposa!

CONDE.   Sí; Abdalasis te la quita,
o por mejor decir, vendiósela ella.
Y bien la raza en que nació acredita,
y de su esposo bien sigue la huella.
(Con mofa.)
Una reina cristiana, favorita
de un árabe..., ¡oh, nació con brava estrella!
No penes, pues, por tan leal matrona,
que esposo no la falta, ni corona.

RODRIGO.   Basta, basta, traidor; la estirpe goda
deshonrada por ti, por ti vendida,

clama sedienta por tu sangre toda.
(Don Rodrigo va a coger el puñal que está
clavado en el poste, pero el conde don Ju-
lián se adelanta y lo toma. Don Rodrigo re-
trocede dos pasos con supersticioso temor)

CONDE.   Con la tuya a la par sea vertida.
El mismo cieno nuestro tiembre enloda,
la misma tumba nos dará cabida.
(El conde se arroja sobre don Rodrigo, mas
Theudia se presenta de repente entre los dos
con la hacha de armas empuñada)

ESCENA ÚLTIMA

DON RODRIGO, EL CONDE DON JULIÁN, THEUDIA
y el ERMITAÑO

THEUDIA.   ¡Mientes! Aún queda quien su honor repare
y del traidor al infeliz separe.
(Da al conde un golpe mortal y cae.)

RODRIGO.   ¡Theudia!

THEUDIA.   Señor, cumplí conmigo mismo,
que al vengaros a vos vengué a la España.

RODRIGO.   ¡Gracias, Theudia! Hoy me arranca tu he-
                                [roísmo
mi ruin superstición, a un noble extraña.
Sí; mi pavor con él baje al abismo;
partamos con Pelayo a la montaña,
y logremos, ¡oh Theudia!, por lo menos,
morir en nuestra patria como buenos.
(Al ermitaño.)
¡Padre, dad a ese tronco sepultura
donde repose en paz; mi justo encono
no pasa, no, de su mansión oscura,
aunque el honor de España esté en mi abono!
Yo vuelvo al campo, a la pelea dura,
y aunque muera sin huestes y sin trono,
siempre ha de ser, para quien muere hon-
tumba de rey la fosa del soldado.   [rado,
(Vase con Theudia y cae el telón.)

FIN DEL DRAMA

* Volumen extra

INDICE DE AUTORES